Prediction of Sediment Reducing Benefit of
Soil and Water Conservation on the Loess Plateau

黄土高原水土保持减沙效益预测

王万忠　焦菊英　著

黄河水利出版社

内 容 简 介

　　本书是作者承担国家"九五"科技攻关专题"黄土高原水土保持效益区域性评估及主体措施配置"的研究成果。全书共分七章,主要包括侵蚀产沙环境与区域分异特征、水土保持单项措施的减沙效益、重点治理区的划分与水土保持措施配置、不同水文年型与不同治理程度下的水土保持减沙效益预测。可供有关研究黄土高原水土保持、生态环境、水文泥沙、自然地理等方面的专业人员及高等院校有关专业师生参考。

图书在版编目(CIP)数据

黄土高原水土保持减沙效益预测/王万忠,焦菊英著.
郑州:黄河水利出版社,2002.8
ISBN 7－80621－587－5

Ⅰ.黄…　Ⅱ.①王…　②焦…　Ⅲ.黄土高原－水土
保持－研究　Ⅳ.S157

中国版本图书馆 CIP 数据核字(2002)第 052229 号

出　版　社:黄河水利出版社
　　　　地址:河南省郑州市金水路 11 号　　邮政编码:450003
发行单位:黄河水利出版社
　　　　发行部电话及传真:0371－6022620
　　　　E-mail:yrcp@public2.zz.ha.cn
承印单位:黄河水利委员会印刷厂
开本:787 毫米×1 092 毫米　1/16
印张:9
字数:208 千字　　　　　　　　印数:1—1 100
版次:2002 年 8 月第 1 版　　　印次:2002 年 8 月第 1 次印刷

书号:ISBN 7－80621－587－5/S·44　　　　　定价:20.00 元

前　　言

近 50 年来的黄土高原综合治理使得这一地区的生态环境发生了很大变化,其最为明显的变化乃是对入黄泥沙的减少和对区域间侵蚀产沙强度变化的影响。因此,在研究治理前后黄土高原侵蚀产沙强度的空间变化特征,和对单项水土保持措施减沙效益系统分析的基础上,通过对不同区域水土保持措施的优化配置,来预测未来黄土高原水土流失的程度是十分必要的。

该项研究的内容主要包括四个部分:一是采用"水文—地貌法",即水文站实测值与侵蚀形态类型相结合的方法,将黄土高原划分为 292 个侵蚀产沙单元,分别对治理前后不同类型区、不同侵蚀带和主要支流侵蚀产沙强度的时空变化特征进行了分析;二是对水平梯田、林草措施和淤地坝三类主要水土保持措施不同降雨条件和不同质量的减沙效益进行了计算;三是将黄土高原主要产沙区(年侵蚀模数 $\geqslant 5\,000\text{t}/\text{km}^2$)根据流域单元、侵蚀类型和植被带等因素划分为 10 个不同的治理区,对每个治理区进行了措施的模拟配置;四是根据单项水土保持措施的减沙效益和整体措施的模拟配置结果,计算出了不同治理区在不同水文年型与不同治理程度下的减沙效益,并对不同治理程度下未来黄河泥沙量进行了预测。

该项研究应用了国家"七五"科技攻关"黄土高原地区资源环境调查"项目、黄河水利委员会水文站、黄土高原水土保持试验站等有关基础资料和数据,以及前人有关侵蚀类型区划分和黄河中游水利水保措施减沙效益的研究成果。在此表示衷心感谢!

作　者

2002 年 6 月

目　录

CONTENTS

第一章 绪 论

第一节 侵蚀产沙概况

一般认为,黄土高原范围是东起太行山西坡,西至乌鞘岭和日月山东坡,南达秦岭北坡,北止长城,约 39 万 km²。在黄土高原的水土保持研究中,从水沙来源和水系流域的完整性考虑,人们往往把其北部界线扩展到大青山、阴山以南,包括了整个黄河中游,面积约 62 万 km²,称之为黄土高原地区。

黄河流域集水面积 75.2 万 km²。一般认为上、中、下游的界线以托克托、花园口为界线。黄河河源至内蒙古托克托县河口镇为上游,区间面积 38.6 万 km²;河口镇至郑州的桃花峪(以花园口站为界)为中游,区间面积 34.4 万 km²;桃花峪至河口为黄河下游,面积为 2.2 万 km²。

黄土高原的水土流失主要集中在黄河中游的黄土高原部分,以及上游的祖厉河、清水河流域。主要包括中游河口镇至龙门区间的各个支流,泾、洛、渭、汾流域以及上游的祖厉河、清水河流域,面积约 31 万 km²。经统计计算,1955~1969 年黄土高原的年均侵蚀产沙量为 19.5 亿 t,1970~1989 年年均为 12.2 亿 t,1955~1989 年年均为 15.4 亿 t。根据 1955~1989 年的平均统计结果,黄土高原大于 5 000t/(km²·a)强度以上的侵蚀面积为 13.3 万 km²,其中 1955~1969 年为 14.7 万 km²,1970~1989 年为 10.5 万 km²;大于 10 000 t/(km²·a)极强烈以上侵蚀的面积为 5.7 万 km²,其中 1955~1969 年为 8.7 万 km²,1970~1989 年为 2.5 万 km²。

李雪梅等[1]经过卫星图片和地貌图综合修正,确定黄河中游多沙区(年输沙模数大于 5 000t/km²)的面积为 11.9 万 km²(未包括上游祖厉河流域 0.5 万 km² 和零星分布的面积)。景可等[2]将年侵蚀模数大于黄河中游年均侵蚀模数(4 039t/km²,1970~1989 年统计值)称为多沙区,总面积为 14.4 万 km²,其中集中连片的 12.4 万 km²。按照景可关于多沙区的确定办法,我们计算 1970~1989 年大于黄土高原平均年侵蚀模数(3 928.4 t/km²)的面积共有 13.2 万 km²,扣除祖厉河的 0.5 万 km²,多沙区面积为 12.7 万 km²。关于多沙区的面积,在同一统计时段(年代)有关计算结果基本一致。

黄土高原侵蚀产沙的区域空间分布具有以下几个特点:

(1)空间集中度非常高,10%的面积集中了 35%的产沙量,30%的面积集中了 70%的产沙量,50%的面积集中了 90%的产沙量。

(2)黄土高原侵蚀产沙主要来自河龙区间(占总产沙量的 55%)和泾、洛、渭河上游地区(占总产沙量的 35%),其中以黄土峁状丘陵沟壑区和干旱黄土丘陵沟壑区的侵蚀产沙最为严重(占总产沙量的 50%以上)。

(3)黄土高原大于 5 000t/(km²·a)强度以上的侵蚀面积虽只占全区总面积的42.8%,

但产沙量却占全区总产沙量的85%,其中大于10 000t/(km²·a)的极强烈以上的侵蚀面积占全区总面积的18.4%,产沙量占全区总产沙量的近50%。

根据1955～1969年和1970～1989年的分段统计结果,70年代以后,由于降雨因素和水土保持作用的影响,黄土高原的侵蚀产沙特征发生了显著变化,主要表现在:侵蚀产沙量年均减少了37.7%,由未治理前的19.5亿t减少到12.2亿t;全区平均侵蚀模数由未治理前的6 302.1t/(km²·a)减小到3 928.4t/(km²·a);侵蚀模数>5 000t/(km²·a)的面积减少了28.8%,由未治理前的14.7万km²减少到10.5万km²,侵蚀模数>10 000 t/(km²·a)的面积减少了71.8%,由未治理前的8.7万km²减少到2.5万km²。

黄土高原侵蚀产沙主要集中在汛期的几场暴雨。经统计,年最大一次降雨的侵蚀产沙量可占全年总产沙量的60%,最大2次降雨的侵蚀产沙量占全年总产沙量的80%以上;在1955～1989年的35年系列中,最大3年的产沙量可占35年总产沙量的25%,最大10年的产沙量可占总产沙量的近60%。因此,一个地区的侵蚀产沙决定于这个地区暴雨发生的频率。

第二节　侵蚀产沙环境

一、地　貌

黄土高原是我国一个独特的地貌单元,它的四面均为高山环绕,整个地势由西北向东南倾斜。区内沟壑纵横,地形起伏较大,境内的中、低山面积12万～13万km²,主要有六盘山、吕梁山、黄龙山、崤山、子午岭等。六盘山和吕梁山两个主要山脉将黄土高原分为三块区域。六盘山以西的西部为陇西盆地,海拔1 500～2 000m;六盘山和吕梁山之间的中部为陕北高原,海拔1 500m左右;吕梁山以东的东部是山西高原,海拔在1 000m左右。除了一些主要的山地外,塬、梁、峁是黄土高原最主要的地貌形态。完整的黄土高塬主要分布在黄土高原的南部,如洛川塬、董志塬。破碎塬以晋西隰县和大宁一带最为典型。黄土高原的中北部主要为梁峁丘陵。六盘山以西多为宽梁大峁,梁体延伸几平方公里到几十平方公里。六盘山以东多为短梁小峁。

黄土高原的现代地貌是在古地貌的基础上形成的。关于黄土高原的地貌类型,有的以成因分类,有的以形态分类,有的将其二者结合起来分类。与土壤侵蚀关系密切的主要是山地地貌和黄土地貌。

(一)山地地貌

区内主要山地有吕梁山、黄龙山、子午岭、白于山、屈武山、六盘山和陇山。吕梁山位于山西省西部,山体呈南北走向,自南而北有火焰山、关帝山、芦芽山、管涔山等较高山峰,一般都不超过2 500m。黄龙山位于黄龙及其邻近县境内,为南北走向。子午岭与黄龙山平行,是黄土覆盖的山地,主峰海拔1 687m,向北与白于山构成不完整山系。六盘山位于宁甘交界处,亦呈南北走向,山势陡峭,主峰海拔2 942m;向南余脉为陇山,向北余脉为屈武山。六盘山和吕梁山是黄土高原侵蚀强度区域差异的主要界限[3],六盘山以西和吕梁山以东的大部分地区,侵蚀强度都在5 000t/(km²·a)以内,只有渭河上游流域和祖厉河流域达到 5 000~7 000t/(km²·a)。两山之间地区的侵蚀强度普遍较大,但有明显的南北差异。渭河北山以南的侵蚀强度多小于 1 000t/(km²·a),渭河北山至庆阳—延安—离石一线之间,多在 2 500~5 000t/(km²·a)。庆阳—延安—离石一线以北一般在 5 000 t/(km²·a)以上。

(二)黄土地貌

黄土地貌的主要类型有黄土山地、丘陵宽谷、丘陵宽谷沟壑、丘陵沟壑、黄土高原和山间黄土平原。黄土塬、梁、峁地形是构成今日黄土高原的基本地貌类型。黄土塬地势宽阔平坦,黄土厚一般 130~200m,主要分布在白于山以南地带。黄土塬和台塬是在下伏古地形的基础上,黄土堆积后,经河流下切而形成。同时,经流水侵蚀及被沟壑蚕食,形成黄土残塬或破碎塬,并可演变成残塬梁峁地形[4]。黄土梁峁主要分布于高原西部及中部北段。因古地貌为起伏不平的丘陵,则黄土堆积地貌也同样呈波浪起伏状。由于晚近期构造活动以隆升为主,故侵蚀强烈,沟谷冲沟下切,地表遭到严重破坏,因而产生众多的峁丘和梁岗,一般将前者称为黄土峁,后者称为黄土梁[5]。黄土峁通常分布在侵蚀比较活跃的地区,如陕北绥德、米脂、子洲一带。黄土梁主要分布在六盘山以西陇中盆地,陕北横山、榆林、神木、府谷一线以北,以及白于山南侧的吴旗、志丹等地。

地貌形态与土壤侵蚀之间存在着密切的关系。按地貌形态可将黄土高原划分为不同的侵蚀类型区[6],以丘陵沟壑区和台塬沟壑区侵蚀产沙最为严重,分别占黄土高原总产沙量的 80% 和 12%。丘陵沟壑区的侵蚀模数大都在 5 000t/(km²·a)以上,其中峁状丘陵沟壑区和平岗丘陵沟壑区的侵蚀模数超过或接近 10 000t/(km²·a),梁状丘陵沟壑区和干旱黄土丘陵沟壑区的侵蚀模数接近 7 000t/(km²·a)。台塬沟壑区的侵蚀模数除黄土阶地在 2 000t/(km²·a)左右外,高塬沟壑区和残塬沟壑区的侵蚀模数分别超过 5 000t/(km²·a)和 10 000t/(km²·a)。

二、土 壤

黄土是一种质地均匀,结构疏松,钙质含量丰富,具有大孔隙的第四纪风成堆积物。其粒度组成以粉砂为主,多属粉砂壤土至粉砂黏壤土,具有明显的水平分带特征,黄土质地呈现着由北而南、由西而东逐渐变细的规律。刘东生院士根据黄土颗粒组成中细砂与黏粒的含量,将新黄土划分为沙黄土、黄土与黏黄土三个带,其颗粒组成自鄂尔多斯高原南沿开始,自西北向东南由粗逐渐变细。中值粒径从西北部的大于 0.045mm 逐渐减小到东南部的 0.015mm。在黄土颗粒组成中,0.25~0.05mm 的颗粒含量从西北沙黄土带的57.85% 减小到南部黏黄土带的 4.5% 左右[7]。

黄土高原主要地带性土壤有褐土、黑垆土和栗钙土,其中以黑垆土为主。在广大的黑垆土分布地区,由于人为不合理的耕种与强烈的水土流失,黑垆土剖面被侵蚀殆尽,黄土和红土母质出露,形成了大面积的初育土壤黄绵土和红土。

与水土流失有关的是土壤的渗透性、抗蚀性和抗冲性。黄土是渗透性很强的第四纪松散沉积物,土壤稳定入渗速率一般在 0.5mm/min 以上。蒋定生[7]根据黄土高原土壤入渗速率的地域差异性,将其划分为 5 个土壤入渗速率区:子午岭、黄龙山土壤入渗速率极快区(稳定入渗速率 5~12mm/min);华家岭、董志塬土壤入渗速率很快区(稳定入渗速率 1.3~3.5mm/min);延安等地土壤入渗速率较快区(稳定入渗速率 1.1~1.3 mm/min);长城沿线、黄河峡谷和泾洛渭台塬土壤入渗速率一般区(稳定入渗速率 0.5~1.0 mm/min);陕东、豫西北土壤入渗速率较慢区(稳定入渗速率<0.5mm/min)。

20 世纪 50 年代后期,朱显谟发现在疏松黄土进行的水蚀常是分散和冲刷同时进行,而且冲刷过程非常强烈,常常大大地掩盖分散的强度,随后于 1960 年提出抗冲性概念,并将土壤的抗侵蚀力区分为抗蚀性和抗冲性两类[8],认为土壤抗蚀性是指土壤抵抗水的分散和悬浮的能力,其大小主要取决于土粒和水的亲和力;土壤抗冲性表示土壤抵抗地表径流机械破坏和搬运的能力,它主要取决于土粒间和微结构体间的胶结力。

影响黄土高原土壤抗蚀性的主导因子是腐殖质及黏粒含量,水稳性团粒含量是反映黄土高原土壤抗蚀性的最佳指标。黄土高原土壤抗蚀性的地域分异是东南部最强,西部居中,而北部最弱。王佑民[9]根据水稳性团聚体与腐殖质含量的关系以及土地利用情况,将黄土高原土壤抗蚀性分为 6 级。如果水稳性团聚体含量已达到某一级别,但土壤的腐殖质含量低于该级别的值,则土壤抗蚀性应列入较小的一级。

土壤抗冲性实质上是土壤抵抗径流机械破坏的能力,主要与土壤机械组成、土壤容重、密实度以及土壤利用方式有关。测定土壤抗冲性的方法有多种,蒋定生[7]采用土壤抗冲性系数(冲走 1g 土壤所需的水量和时间),将黄土高原土壤抗冲性划分为 5 个区:子午岭、黄龙山、崂山黄绵土和黑壮土土壤抗冲性极强区(抗冲刷系数在 98L·s/g 以上);陇东、渭北、晋西残塬区黑垆土与塿土土壤抗冲性较强区(抗冲刷系数介于 0.262~1.412 L·s/g);陇中、宁南丘陵区黄绵土与黄麻土土壤抗冲性一般区(抗冲刷系数介于 0.026~0.559L·s/g);晋西、陕北黄土丘陵区黄绵土土壤抗冲性很弱区(抗冲刷系数介于 0.023~0.177L·s/g);宁、陕、蒙长城沿线黄土丘陵黄绵土与沙化黄绵土土壤抗冲性极弱区(抗冲刷系数介于 0.010~0.047L·s/g)。

三、植被的地带性分布

黄土高原自东南向西北依次分布有森林、森林草原、典型草原和荒漠草原等四个植被带[4]。

森林带位于黄土高原东南部,北界始于离石南部,沿西南方向,由山西石楼经陕西延川、延安,沿子午岭西麓,经志丹南部进入甘肃,折向西经平凉过关山北端,止于天水。包括吕梁山的南段、黄龙山、子午岭、关山等山地。带内气候属温暖半湿润气候,年降水量 500~650mm,主要植被为落叶阔叶林。根据土壤和植被类型的差异以及森林恢复的难易程度,本带又可划分成南北两个亚带,其分界线始于山西蒲县,经吉县过黄河,入陕西经黄龙、黄陵、彬县、陇县进入甘肃。南亚带土壤为褐土,植被以喜暖的栎林(麻栎、槲栎、栓皮栎)为主;北亚带较南亚带干旱,气温低,土壤为紫黑垆土,植被主要为半旱生落阔叶林,优势种有山杨、辽东栎、白桦等。

森林草原带南接森林带,北界始于神池,由兴县和临县间过黄河至绥德、志丹,经甘肃华池、宁夏固原,越六盘山过华家岭,终止定西南部,包括洛河中游、泾河中游和渭河上游、吕梁山中段、子午岭、六盘山等。带内地貌为起伏的黄土丘陵,海拔 1 000~1 200m。为半湿润—半干旱气候,干燥度 1.4~1.8,年均气温 8.5~10℃,年均降水量 450~550mm,

地带性土壤为黑垆土,山地次生林下土壤为灰褐土。本带处于森林与典型草原之间的过渡地带,与森林带的最大差别是草原植被占有较大优势,其中具有代表性的有白羊草草原、长芒草—白羊草草原、茭蒿—长芒草草原、长芒草—兴安胡枝子—杂类草草原。

典型草原带南接森林草原带,北界始于东胜,经定边、盐池、同心、海原,止于甘肃兰州以南,包括无定河上游、清水河上游、祖厉河上游以及白于山、屈武山等。带内气候为温暖半干旱气候,大部分地区干燥度1.8~2.2,年均降水量300~450mm,地貌为缓坡长梁状黄土丘陵,地带性土壤为轻黑垆土和少量的淡栗钙土。本带草原植被占优势,其中长芒草草原分布最广,其次为茭蒿草原。与森林草原带相比,铁杆蒿草原成分下降,大针茅草原占据一定位置。

荒漠草原带位于黄土高原水土流失区的西北端,东南接典型草原带,面积较小。气候为半干旱—干旱气候,干燥度2.2~3.0,年均降水量小于300mm。地带性土壤为棕钙土和灰钙土,土壤沙性重。因地处黄土区边缘,带内丘陵平缓,谷地开阔,各种类型的短花针茅草原广为分布。由于区域性差异,西部除短花针茅外,还有灌木亚菊、中亚紫宛木等;东部在短花针茅草原中常伴生戈壁针茅、沙生针茅,地形较高处常生长着长芒草草原。在黄土与沙地复合地区,黄土上为短花针茅、戈壁针茅草原,沙地上则生长着苦豆子等。

杨文治[10]将上述植被带与土壤水分生态区进行综合研究,根据土壤水分循环补偿特征和乔灌木树种的生态适宜性,提出了黄土高原地区造林土壤水分生态分区:

(1)暖温带半湿润区土壤水分均衡补偿人工乔林适生区,包括晋东中部黄土丘陵、晋陕汾渭盆地、黄土覆盖的子午岭—桥山—黄龙林区、晋南豫西黄土丘陵区,以及秦岭北麓一带。

(2)暖温带半湿润区土壤水分准均衡补偿人工乔灌林适生区,包括晋陕中部黄土丘陵区、陇东南黄土丘陵、陇东渭北黄土塬区。

(3)暖温带—温带半干旱区土壤水分周期亏缺与补偿失调人工灌乔林适生区,包括晋陕北部黄土丘陵区、陇中南部黄土丘陵区和晋中北部黄土丘陵区、内蒙古黄土丘陵区、鄂尔多斯草原东部、宁夏盐池和甘肃白银—皋兰—兰州一线。

(4)温带干旱区土壤强烈干旱林木非适生区,包括宁夏内蒙古黄河沿岸地带、鄂尔多斯高原西部、甘肃靖远—景泰—永登一线。

四、降 水

黄土高原年降水量由东南向西北逐渐减少。600mm等雨量线在晋东南沁河流域的沁源、运城、阳城到豫西的三门峡及秦岭北麓的潼关、马渡王、斜峪关、林家村一线。550mm等雨量线由东向西经过垣曲、运城拐向北,经过黄龙、富县、太白镇,再向南到正宁、旬邑、泾川、华亭。550mm等雨量线变化大的原因主要受地形和植被状况的影响。在550~600mm雨量带中可分为三大雨区:一是晋东南雨区;二是渭北及子午岭雨区;三是泾河上游雨区。500mm等雨量线从东经临县、离石、隰县,向北到子长、志丹、庆阳,向南到隆德、秦安、天水。500~550mm的雨带中也包括三个雨区:一是晋中和晋陕交界的东部雨区;二是位于泾河和北洛河上游陇东和陕北的中部雨区;三是六盘山南段一带的西部雨区。400mm等雨量线基本沿长城沿线,经偏关、神木、榆林、靖边、环县、固原北部到定西一带。在 400~500mm 等雨量线中,受地形影响有三个主要降雨区:一是晋北云中山、芦芽山、五台山的东部地区;二是陕北的中部地区;三是六盘山和华家岭一带的西部地区。300mm 等雨量线从阴山南坡的阿塔山向西穿过毛乌素沙漠经盐池、同心到靖远。

黄土高原降雨的时间分配比较集中,在年降雨中,夏季(6~8 月)雨量占年雨量的 50%~60%,其中北部地区一般占 65%,中西部地区占 55%,南部地区占 45%;秋季(9~11 月)雨量占年雨量的 20%~30%;冬季(12 月~次年 2 月)雨量占年雨量的 1.5%~3.0%;春季(3~5 月)雨量占年雨量的 13%~20%。

暴雨是造成黄土高原水土流失最主要的降水形式。黄土高原的暴雨可分为三种类型:一类是局地强对流条件引起的小范围、短历时、高强度局地暴雨,可占总暴雨次数的 50%左右。这类暴雨降雨历时在 30~120min(一般不超过 180min),雨量为 10~30mm(一般不超过 50mm),主要降雨历时只有几分钟或十几分钟,时程分布为单峰型。第二类是由锋面型降雨夹有局地雷暴性质的较大范围、中历时、中强度暴雨,可占总暴雨次数的 35%左右。这类暴雨的降雨历时在 3~12h,一般不超过 24h,次降雨量为 30~100mm,时程分布多为双峰型。第三类是由峰面降雨引起的大面积、长历时、低强度暴雨,可占总暴雨次数的 5%左右。

由于黄土高原的暴雨与地理位置和地形因素密切相关,因此,在黄土高原分布着许多暴雨区和暴雨中心,主要有:东部济源暴雨区(赵礼庄、小浪底、八里胡同);太行山南麓暴雨区(长治、陵川);沁河中上游暴雨区(古县、沁源、安泽);秦岭北麓暴雨区(涝峪口、大峪、罗李村);渭北暴雨区(千阳、旬邑、淳化、耀县);北洛河中游暴雨区(黄陵、洛川、黄龙);泾河中上游暴雨区(平凉、庆阳、泾川);渭河上游暴雨区(秦安、天水、渭源);吉(县)龙(门)暴雨区(吉县、龙门);延河、清涧河暴雨区(延安、子长);吕梁西侧暴雨区(临县、榆林、吴堡、石楼);吕梁山东侧朔州暴雨区(朔州);晋中太原暴雨区(昔阳、太原、汾河二坝);无定河中上游暴雨区(榆林、韩家峁、纳林河);河(曲)神(木)暴雨区(黄甫、神木、高家堡);大青山南侧暴雨区(呼和浩特、大脑包、哈德门沟、头道拐);贺兰山东侧暴雨区(中宁、贺兰、银川)。

黄土高原暴雨的发生频率,六盘山以西的地区年均只有 2 次,无暴雨年数占 1/4;中北部地区年均 3~5 次,几乎每年都有暴雨发生;东南部地区年均 6 次左右,最多年超过 10 次。从各地特大暴雨的发生频率看,特大暴雨发生频率比较高的几个地区是:宁夏的银川;内蒙古的呼和浩特、包头、准格尔旗;陕北的榆林、神木、延安、黄陵;渭北的千阳、耀县、淳化;秦岭北麓的眉县、户县、长安、蓝田;晋西北的柳林、中阳;晋中的太原、朔州;晋东南的运城、永济、古县、沁源、陵川、长治;河南的济源、孟津、沁阳等地区。

五、人为活动

人类活动加剧水土流失,主要是在明清以后。表现在 3 个方面:

一是人口的增长。从秦、汉经隋、唐直至明末,黄土高原地区的总人口一直徘徊在 1 000 万~1 500 万之内。典型的黄土丘陵沟壑区的人口密度每平方公里一般不超过 10 人。但到清代道光年间黄土高原地区人口达 4 100 万,基本奠定了现代人口的基础。当时主要典型黄土区的人口密度已接近目前的水平。1985 年,黄土高原典型黄土区人口密度已比汉代的人口密度超出 10 倍,尤其是陕北榆林南部、陇中宁南、兰州地区及青海东部,有的地区人口密度已接近200人/km²,是汉代的20倍[5]。

二是土地的不合理利用。历史资料考证,黄土高原曾是塬面广阔,沟壑稀少,草木丰茂地区。随着人口的不断增加,因开垦而使天然林草植被的破坏愈来愈严重。当今,黄土高原现有的林草分布因人为的破坏,已丧失了连片的地带性规律,森林覆盖率仅6.5%。占总土地面积30%的草地,其中约有60%已退化或沙化。在绝大部分天然植被遭到破坏的情况下,显然人类加速侵蚀的地区已超过自然侵蚀[11]。明清前的子午岭地区森林茂密,山清水秀,随着人口的增长,毁林开荒日趋严重,明清时代森林已遭到大面积破坏,土壤侵蚀发展已十分严重,到了清末的1866年,因战乱和民族纠纷,人口逃亡,田地荒芜,植被又逐渐自然恢复,形成了今日的次生景观。近30年,林区内的正宁、宁县、富县林地减少了16.3万 hm²。

三是工矿道路等建设。黄河中游有着丰富的矿产资源,大多分布于多沙粗沙区,如神木、府谷、榆林、横山、定边等县,资源开发涉及的支流有土壤侵蚀严重的黄甫川、孤山川、窟野河、秃尾河、无定河等。而煤炭等资源的大规模开采,铲除地表原有植被,移动大量的岩石土体,造成地表土层松动,地下岩性物质出露,易风化成碎屑,并伴有滑坡、崩塌等重力侵蚀,水土流失加剧。随着矿产资源开发规模的扩大,交通及其他基本建设也迅速发展,大规模的铁路、公路建设已全面展开。由于黄土高原地形破碎,单位路长动土量大,将促进地表的强烈侵蚀产沙。据统计,无定河流域1950~1985年仅修建窑洞、修路和开矿共新增加3.092亿 t泥沙(姚文艺,1987年);山西省公共交通活动每年增沙6 000万 t(山西省水保局,1986年);陕北农村近年建窑133万孔,移动土石方约2.66亿 m³。据粗略估算,黄土高原由于建窑、筑路、基本农田建设和筑坝等,每年移动的土石方量约5亿~6亿 t,相当于黄河年输向下游沙量的1/3。黄土高原的矿产资源十分丰富,是我们的能源重化工基地,目前采矿造成的土壤流失十分严重,近年来窟野河沙量增加与采煤有直接关系。据估算,晋、陕、蒙接壤区(面积约4.57万 km²),如果采煤时防蚀措施不力,每年将向黄河多输送数千万吨泥沙[5]。

第三节　水土保持进展

鉴于黄河水沙危害和黄土高原区域经济的发展,国家对这一地区的水土保持工作给予了高度的重视,开展了以工程措施、植物措施、耕作措施相结合,坡面与沟道治理相结合,以小流域为单元的综合治理工作,取得了突出的成效。截至2000年底,累计完成初步治理水土流失面积18.45万 km²,占水土流失面积的40%。

梯田、坝地等基本农田是最主要的水土保持措施,到1995年底,兴建的基本农田已达517万 hm²,其中梯田380万 hm²,这些梯田主要分布于陇东、陇中、陕北、渭北、晋西、豫西、宁南和海东地区,其中甘、陕、晋三省面积最多,分别达130万 hm²、90万 hm²、80万 hm²[12]。营造水土保持林800万 hm²,种草200万 hm²,建造了800多座治沟骨干工程和400余万座淤地坝、水窖等蓄水保土工程,扩大灌溉面积3.3万 hm²,保护耕地13.3万 hm²[13]。

水土保持产生了显著的社会效益、经济效益和生态效益。累计增产粮食593亿 kg,

生产果品 250 亿 kg,产枝材 350 亿 kg,产饲草 250 亿 kg。1970 年以来,水保措施每年平均减少入黄泥沙约 3 亿 t,是黄河多年平均输沙量 16 亿 t 的 18%[13]。

参 考 文 献

1　李雪梅,杨汉颖,林银平,徐建华.黄河中游多沙粗沙区区域界定.人民黄河,1999,21(12):9~11
2　景可,李钜章,李凤新.黄河中游粗沙区范围界定研究.土壤侵蚀与水土保持学报,1997,3(3):10~15
3　景可等.黄河泥沙与环境.北京:科学出版社,1993
4　吴钦孝,杨文治主编.黄土高原植被建设与持续发展.北京:科学出版社,1998
5　孟庆枚主编.黄土高原水土保持.郑州:黄河水利出版社,1996
6　水利部黄河水利委员会.黄河流域地图集.北京:中国地图出版社,1989
7　蒋定生等.黄土高原水土流失与治理模式.北京:中国水利水电出版社,1997
8　朱显谟.黄土高原枯落物因素对水土流失的影响.土壤学报,1960,8(2):110~121
9　王佑民等.黄土高原土壤抗蚀性研究.水土保持学报,1994(4):11~16
10　杨文治等.黄土高原地区造林土壤水分生态分区研究.水土保持学报,1994,8(1):1~9
11　叶青超主编.黄河流域环境演变与水沙运行规律研究.济南:山东科学技术出版社,1992
12　高荣乐.黄河流域水土保持梯田建设.中国水土保持,1996(10):30~32
13　段巧甫.黄河流域水土保持工作成绩斐然.中国水土保持,1996(10):3~6

第二章 侵蚀产沙的区域分异特征

第一节 侵蚀产沙量的计算

一、侵蚀产沙单元的划分

目前,在黄土高原区域侵蚀产沙量计算与空间分异特征的研究中,能够直接应用且比较可靠、系统的实测资料是这一地区的水文站泥沙观测资料。但由于黄土高原土壤侵蚀类型复杂,区域差异较大,在一个面积不大的流域内常常包含着几种侵蚀类型和多种侵蚀方式。而水文站测得的输沙量只能说明流域的平均侵蚀产沙状况,不能反映出不同侵蚀类型区的侵蚀强度差异。据此,我们采用水文站实测值与侵蚀形态类型相结合的方法(亦称"水文—地貌法"),划分若干不同的侵蚀产沙单元(指同一水文控制区内相同侵蚀形态类型的连片区域),计算各单元的侵蚀产沙强度和侵蚀产沙量。

根据黄土高原水文站的布设情况和水文泥沙资料的观测历史(大部分站的观测资料都是从 1955 年开始的),共可划分为 120 个水文控制区(可能划分的最小区域)。

在 120 个水文控制区的基础上,将土壤侵蚀类型区图[1]叠加在水文控制区分布图上,然后在同一水文控制区内,按照不同侵蚀形态类型的区域界线划分侵蚀产沙单元,对于具有同一侵蚀形态类型而不连接的区域,分别作为不同的侵蚀产沙单元。据此,共可划分成292 个侵蚀产沙单元(见表 2-1 和图 2-1)。

二、侵蚀产沙量的计算

(一)水文控制区侵蚀产沙量的计算

单站控制区:流域上游或流域支流上游水文站控制的区域,其产沙量的计算是以该站的输沙量来代替,侵蚀强度为该站的输沙量除以该站的集水面积。

多站控制区:流域(支流)下游水文站与上游(支流)一个或多个水文站之间的区域,用下游水文站的输沙量减去上游水文站的输沙量作为该区域的产沙量,所得结果除以水文站控制区间的面积即为该水文控制区的侵蚀强度。

未控区:对于流域下游的未控制区域,以黄河干流水文站的分布情况划分区段,水文站控制区域则为黄河干流某区段两水文站及该区段内各流域出口水文站之间的区域。其产沙量为干流下游站的输沙量减去干流上游站及两站区间各支流出口站的输沙量,所得结果除以本区的面积则为该区域的侵蚀强度。

对于多站控制区和未控区,若所得结果为负值,说明泥沙沿程有淤积,视该区的产沙量为零。

表 2-1　　　　　　　　　　　　　　　侵蚀产沙单元的划分

流域	水文控制区			侵蚀产沙单元		
	编号	区间	面积(km²)	编号	类型区	面积(km²)
浑河	1	太平窑以上	3 406	1	黄土平岗丘陵沟壑区	3 133.6
				2	高原土石山区	137.8
				3	高原土石山区	134.6
	2	放牛沟—太平窑	2 055	4	黄土平岗丘陵沟壑区	2 055.0
偏关河	3	偏关以上	1 915	5	黄土平岗丘陵沟壑区	1 915.0
黄甫川	4	沙圪堵以上	1 351	6	黄土平岗丘陵沟壑区	635.0
				7	风沙草原区	716.0
	5	黄甫—沙圪堵	1 848	8	黄土平岗丘陵沟壑区	1 238.2
				9	风沙草原区	425.0
				10	风沙草原区	37.0
				11	库布齐沙漠	147.8
清水河	6	清水以上	735	12	黄土平岗丘陵沟壑区	602.7
				13	黄土峁状丘陵沟壑区	58.8
				14	风沙草原区	73.5
县川河	7	旧县以上	1 562	15	黄土平岗丘陵沟壑区	374.9
				16	黄土峁状丘陵沟壑区	1 187.1
黄河	8	府谷—(头道拐、放牛沟、偏关、旧县、清水、黄甫)	23 107	17	黄土平岗丘陵沟壑区	4 360.5
				18	黄土峁状丘陵沟壑区	1 265.9
				19	冲积平原区	562.6
				20	风沙草原区	351.7
				21	库布齐沙漠	492.3
孤山川	9	高石崖以上	1 263	22	黄土平岗丘陵沟壑区	656.8
				23	黄土峁状丘陵沟壑区	593.6
				24	风沙草原区	12.6
朱家川	10	下流碛以上	2 881	25	黄土峁状丘陵沟壑区	2 679.3
				26	高原土石山区	201.7
岚漪河	11	岢岚以上	476	27	黄土峁状丘陵沟壑区	261.8
				28	高原土石山区	214.2
	12	裴家川—岢岚	1 683	29	黄土峁状丘陵沟壑区	774.2
				30	高原土石山区	908.8
蔚汾河	13	碧村以上	1 476	31	黄土峁状丘陵沟壑区	782.3
				32	高原土石山区	693.7
窟野河	14	王道恒塔以上	3 839	33	黄土平岗丘陵沟壑区	307.1
				34	风沙草原区	3 531.9
	15	新庙以上	1 527	35	风沙草原区	1 527.0
	16	神木—(王道恒塔、新庙)	1 932	36	黄土平岗丘陵沟壑区	946.7
				37	黄土峁状丘陵沟壑区	386.4
				38	风沙黄土丘陵沟壑区	309.1
				39	风沙草原区	38.6
				40	风沙草原区	251.2
	17	温家川—神木	1 347	41	黄土峁状丘陵沟壑区	1 212.3
				42	风沙黄土丘陵沟壑区	134.7

流域	水文控制区			侵蚀产沙单元		
	编号	区间	面积(km²)	编号	类型区	面积(km²)
秃尾河	18	高家堡以上	2 095	43	风沙黄土丘陵沟壑区	1 424.6
				44	风沙草原区	670.4
	19	高家川—高家堡	1 158	45	黄土峁状丘陵沟壑区	972.7
				46	风沙黄土丘陵沟壑区	185.3
佳芦河	20	申家湾以上	1 121	47	黄土峁状丘陵沟壑区	1 053.7
				48	风沙黄土丘陵沟壑区	67.3
湫水河	21	林家坪以上	1 873	49	黄土峁状丘陵沟壑区	1 517.1
				50	高原土石山区	355.9
黄河	22	吴堡—府谷—(申家湾、高家川、温家川、高石崖、下流碛、裴家川、碧村、林家坪)	6 966	51	黄土峁状丘陵沟壑区	6 269.4
				52	黄土残塬沟壑区	696.6
三川河	23	圪洞以上	749	53	黄土峁状丘陵沟壑区	134.8
				54	高原土石山区	614.2
	24	后大成—圪洞	3 353	55	黄土峁状丘陵沟壑区	1 877.6
				56	黄土残塬沟壑区	67.1
				57	高原土石山区	1 408.3
屈产河	25	裴沟以上	1 023	58	黄土峁状丘陵沟壑区	879.8
				59	高原土石山区	143.2
无定河	26	韩家峁以上	2 452	60	风沙草原区	2 452.0
	27	横山以上	2 415	61	黄土峁状丘陵沟壑区	603.7
				62	风沙黄土丘陵沟壑区	1 449.0
				63	风沙草原区	362.3
	28	殿市以上	327	64	黄土峁状丘陵沟壑区	327.0
	29	赵石窑—(韩家峁、横山、殿市)	10 131	65	风沙黄土丘陵沟壑区	1 519.7
				66	风沙黄土丘陵沟壑区	1 215.7
				67	风沙草原区	7 395.6
	30	丁家沟—赵石窑	8 097	68	黄土峁状丘陵沟壑区	2 591.1
				69	风沙黄土丘陵沟壑区	1 538.4
				70	风沙草原区	3 967.5
	31	青阳岔以上	662	71	黄土峁状丘陵沟壑区	662.0
	32	李家河以上	807	72	黄土峁状丘陵沟壑区	807.0
	33	绥德—(青阳岔、李家河)	2 424	73	黄土峁状丘陵沟壑区	2 424.0
	34	白家川—(绥德、丁家沟)	2 902	74	黄土峁状丘陵沟壑区	2 902.0
清涧河	35	子长以上	913	75	黄土峁状丘陵沟壑区	748.7
				76	黄土梁状丘陵沟壑区	164.3
	36	延川—子长	2 555	77	黄土峁状丘陵沟壑区	1 941.8
				78	黄土梁状丘陵沟壑区	613.2
昕水河	37	大宁以上	3 992	79	黄土峁状丘陵沟壑区	159.7
				80	黄土梁状丘陵沟壑区	2 155.7
				81	黄土残塬沟壑区	239.5
				82	高原土石山区	1 437.1

流域	水文控制区			侵蚀产沙单元		
	编号	区间	面积(km²)	编号	类型区	面积(km²)
延水	38	枣园以上	719	83	黄土梁状丘陵沟壑区	661.5
				84	森林黄土丘陵沟壑区	57.5
	39	延安以上	3 208	85	黄土峁状丘陵沟壑区	288.7
				86	黄土梁状丘陵沟壑区	2 694.7
				87	风沙黄土丘陵沟壑区	224.6
	40	甘谷驿—(延安、枣园)	1 964	88	黄土梁状丘陵沟壑区	1 630.1
				89	森林黄土丘陵沟壑区	333.9
汾川河	41	临镇以上	1 121	90	森林黄土丘陵沟壑区	1 121.0
仕望川	42	新市河—临镇	541	91	黄土梁状丘陵沟壑区	394.9
				92	森林黄土丘陵沟壑区	146.1
	43	大村以上	2 141	93	森林黄土丘陵沟壑区	1 862.7
				94	高原土石山区	278.3
州川河	44	吉县以上	436	95	黄土梁状丘陵沟壑区	335.7
				96	黄土残塬沟壑区	100.3
黄河	45	龙门—吴堡—(白家川、延川、甘谷驿、新市河、大村、后大成、裴沟、大宁、吉县)	11 661	97	黄土峁状丘陵沟壑区	2 798.7
				98	黄土梁状丘陵沟壑区	5 247.5
				99	黄土残塬沟壑区	349.8
				100	黄土残塬沟壑区	1 399.3
				101	高原土石山区	233.2
				102	高原土石山区	1 632.5
汾河	46	静乐以上	2 799	103	黄土山麓丘陵沟壑区	979.7
				104	高原土石山区	1 819.3
	47	上静游以上	1 140	105	黄土山麓丘陵沟壑区	558.6
				106	高原土石山区	581.4
	48	汾河水库—(静乐、上静游)	1 329	107	黄土山麓丘陵沟壑区	943.6
				108	高原土石山区	106.3
				109	高原土石山区	279.1
	49	寨上—汾河水库	1 551	110	黄土山麓丘陵沟壑区	682.5
				111	高原土石山区	372.2
				112	高原土石山区	496.3
	50	兰村—寨上	886	113	黄土山麓丘陵沟壑区	203.8
				114	高原土石山区	682.2
	51	独堆以上	1 152	115	黄土山麓丘陵沟壑区	92.2
				116	高原土石山区	1 059.8
	52	芦家庄—独堆	1 215	117	黄土山麓丘陵沟壑区	753.2
				118	高原土石山区	449.6
				119	高原土石山区	12.2
	53	汾河二坝—(兰村、芦家庄)	3 958	120	黄土山麓丘陵沟壑区	1 979.0
				121	冲积平原区	949.9
				122	高原土石山区	672.9
				123	高原土石山区	356.2
	54	盘陀以上	533	124	高原土石山区	533.0
	55	文峪河水库	1 876	125	高原土石山区	1 876.0

流域	水文控制区			侵蚀产沙单元		
	编号	区间	面积(km²)	编号	类型区	面积(km²)
汾河	56	义棠一(文峪河水库、汾河二坝、盘陀)	7 506	126	黄土山麓丘陵沟壑区	750.6
				127	黄土山麓丘陵沟壑区	1 201.0
				128	冲积平原区	3 227.6
				129	高原土石山区	675.5
				130	高原土石山区	1 651.3
	57	石滩一义棠	4 269	131	黄土山麓丘陵沟壑区	1 750.3
				132	黄土山麓丘陵沟壑区	85.4
				133	冲积平原区	768.4
				134	高原土石山区	725.7
				135	高原土石山区	939.2
	58	东庄以上	987	136	黄土山麓丘陵沟壑区	611.9
				137	高原土石山区	375.1
	59	柴庄一(石滩、东庄)	4 731	138	黄土山麓丘陵沟壑区	378.5
				139	黄土山麓丘陵沟壑区	1 182.7
				140	冲积平原区	1 845.1
				141	高原土石山区	1 230.1
				142	高原土石山区	94.6
	60	河晹以上	1 260	143	黄土山麓丘陵沟壑区	1 260.0
	61	河津一(柴庄、河晹)	3 536	144	黄土山麓丘陵沟壑区	1 308.3
				145	黄土阶地区	282.9
				146	冲积平原区	1 131.5
				147	高原土石山区	813.3
渭河	62	首阳以上	833	148	干旱黄土丘陵沟壑区	833.0
	63	武山(车家川)一首阳	7 247	149	黄土山麓丘陵沟壑区	1 811.8
				150	干旱黄土丘陵沟壑区	3 623.4
				151	极高原土石山区	1 811.8
	64	甘谷以上	2 484	152	干旱黄土丘陵沟壑区	2 484.0
	65	将台以上	869	153	干旱黄土丘陵沟壑区	869.0
	66	北峡一将台	1 971	154	干旱黄土丘陵沟壑区	1 872.4
				155	高原土石山区	98.6
	67	秦安一北峡	6 965	156	干旱黄土丘陵沟壑区	6 268.5
				157	高原土石山区	696.5
	68	南河川一(甘谷、秦安、武山)	3 478	158	黄土山麓丘陵沟壑区	1 113.0
				159	干旱黄土丘陵沟壑区	1 495.5
				160	极高原土石山区	869.5
	69	天水以上	1 019	161	黄土山麓丘陵沟壑区	856.0
				162	极高原土石山区	163.0
	70	社棠(石岭寺)以上	1 836	163	干旱黄土丘陵沟壑区	1 303.6
				164	高原土石山区	532.4
	71	凤阁岭以上	846	165	高原土石山区	846.0
	72	朱园以上	402	166	高原土石山区	402.0
	73	林家村一(南河川、天水、社棠、凤阁岭、朱园)	3 173	167	黄土山麓丘陵沟壑区	793.3
				168	干旱黄土丘陵沟壑区	158.7
				169	高原土石山区	2 221.0

流域	水文控制区			侵蚀产沙单元		
	编号	区间	面积(km²)	编号	类型区	面积(km²)
渭河	74	千阳以上	2 935	170	黄土梁状丘陵沟壑区	1 731.7
				171	高原土石山区	1 203.3
	75	魏家堡—(林家村、千阳)	3 410	172	黄土梁状丘陵沟壑区	784.3
				173	黄土阶地区	409.2
				174	黄土阶地区	375.1
				175	冲积平原区	647.9
				176	高原土石山区	1 193.5
	76	好峙河以上	1 007	177	黄土梁状丘陵沟壑区	845.9
				178	黄土阶地区	161.1
	77	柴家嘴—好峙河	2 799	179	黄土梁状丘陵沟壑区	867.7
				180	黄土阶地区	1 707.4
				181	冲积平原区	195.9
				182	高原土石山区	28.0
	78	黑峪口以上	1 481	183	高原土石山区	1 481.0
	79	涝峪口以上	347	184	高原土石山区	347.0
	80	咸阳—(魏家堡、柴家嘴、黑峪口、涝峪口)	4 187	185	黄土阶地区	376.8
				186	黄土阶地区	837.4
				187	冲积平原区	1 256.1
				188	高原土石山区	1 716.7
	81	秦渡镇以上	566	189	黄土阶地区	39.6
				190	高原土石山区	526.4
	82	高桥以上	632	191	黄土阶地区	151.7
				192	高原土石山区	480.3
	83	马渡王以上	1 601	193	黄土阶地区	528.3
				194	高原土石山区	1 072.7
泾河	84	安口以上	1 133	195	黄土梁状丘陵沟壑区	702.5
				196	高原土石山区	430.5
	85	袁家庵—安口	512	197	黄土梁状丘陵沟壑区	199.7
				198	黄土高塬沟壑区	312.3
	86	泾川—袁家庵	1 500	199	黄土梁状丘陵沟壑区	300.0
				200	黄土高塬沟壑区	675.0
				201	高原土石山区	525.0
	87	杨闾以上	1 307	202	黄土梁状丘陵沟壑区	65.4
				203	干旱黄土丘陵沟壑区	130.6
				204	黄土高塬沟壑区	1 111.0
	88	姚新庄以上	2 264	205	干旱黄土丘陵沟壑区	1 969.7
				206	黄土高塬沟壑区	294.3
	89	巴家嘴—姚新庄	1 258	207	干旱黄土丘陵沟壑区	276.8
				208	黄土高塬沟壑区	981.2
	90	毛家河—巴家嘴	3 667	209	干旱黄土丘陵沟壑区	1 540.2
				210	黄土高塬沟壑区	1 906.8
				211	高原土石山区	220.0
	91	杨家坪—(毛家河、杨闾、泾川)	2 483	212	黄土高塬沟壑区	2 483.0

流域	水文控制区			侵蚀产沙单元		
	编号	区间	面积(km²)	编号	类型区	面积(km²)
泾河	92	洪德以上	4 640	213	干旱黄土丘陵沟壑区	2 784.0
				214	风沙黄土丘陵沟壑区	1 345.6
				215	黄土残塬沟壑区	371.2
				216	风沙草原区	139.2
	93	悦乐以上	528	217	干旱黄土丘陵沟壑区	528.0
	94	贾桥—悦乐	2 460	218	干旱黄土丘陵沟壑区	1 746.6
				219	森林黄土丘陵沟壑区	295.2
				220	黄土高塬沟壑区	418.2
	95	庆阳—(贾桥、洪德)	2 975	221	干旱黄土丘陵沟壑区	1 338.7
				222	黄土高塬沟壑区	654.5
				223	黄土残塬沟壑区	981.8
	96	板桥以上	807	224	干旱黄土丘陵沟壑区	153.3
				225	森林黄土丘陵沟壑区	443.9
				226	黄土高塬沟壑区	209.8
	97	雨落坪—(板桥、庆阳)	7 609	227	森林黄土丘陵沟壑区	1 065.3
				228	干旱黄土丘陵沟壑区	76.1
				229	黄土高塬沟壑区	6 467.6
	98	张家沟以上	2 485	230	黄土梁状丘陵沟壑区	1 888.5
				231	黄土高塬沟壑区	521.9
				232	高原土石山区	74.6
	99	张河以上	1 506	233	黄土梁状丘陵沟壑区	451.8
				234	黄土高塬沟壑区	1 054.2
	100	景村—(张家沟、张河、杨家坪、雨落坪)	3 147	235	森林黄土丘陵沟壑区	220.3
				236	黄土高塬沟壑区	2 926.7
	101	刘家河以上	1 310	237	黄土高塬沟壑区	484.7
				238	高原土石山区	825.3
	102	张家山—(景村、刘家河)	1 625	239	黄土高塬沟壑区	1 446.2
				240	高原土石山区	178.8
	103	桃园—张家山	2 157	241	黄土高塬沟壑区	107.9
				242	黄土阶地区	1 272.6
				243	冲积平原区	711.8
				244	高原土石山区	64.7
渭河	104	临潼—(桃园、咸阳、秦渡镇、高桥、马渡王)	2 300	245	黄土阶地区	552.0
				246	冲积平原区	1 334.0
				247	高原土石山区	414.0
	105	柳林以上	674	248	黄土梁状丘陵沟壑区	128.1
				249	高原土石山区	545.9
	106	耀县以上	797	250	黄土梁状丘陵沟壑区	534.0
				251	高原土石山区	263.0

流域	水文控制区			侵蚀产沙单元		
	编号	区间	面积(km²)	编号	类型区	面积(km²)
渭河	107	华县—(临潼、耀县、柳林)	7 728	252	黄土梁状丘陵沟壑区	1 236.5
				253	黄土高塬沟壑区	154.6
				254	黄土阶地区	2 318.4
				255	黄土阶地区	618.2
				256	冲积平原区	2 318.4
				257	高原土石山区	850.1
				258	高原土石山区	231.8
北洛河	108	吴旗(金佛坪)以上	3 842	259	干旱黄土丘陵沟壑区	2 574.2
				260	风沙黄土丘陵沟壑区	998.9
				261	风沙草原区	268.9
	109	志丹以上	774	262	干旱黄土丘陵沟壑区	642.4
				263	风沙黄土丘陵沟壑区	131.6
	110	刘家河—(吴旗、志丹)	2 709	264	干旱黄土丘陵沟壑区	2 465.2
				265	森林黄土丘陵沟壑区	216.7
				266	森林黄土丘陵沟壑区	27.1
	111	张村驿以上	4 715	267	干旱黄土丘陵沟壑区	235.8
				268	森林黄土丘陵沟壑区	4 479.2
	112	交口河—(刘家河、张村驿)	5 140	269	干旱黄土丘陵沟壑区	257.0
				270	森林黄土丘陵沟壑区	3 649.4
				271	黄土高塬沟壑区	1 233.6
	113	黄陵以上	2 266	272	黄土梁状丘陵沟壑区	407.9
				273	森林黄土丘陵沟壑区	1 495.5
				274	高原土石山区	362.6
	114	祐头—(交口河、黄陵)	5 708	275	黄土梁状丘陵沟壑区	1 198.6
				276	森林黄土丘陵沟壑区	114.2
				277	黄土高塬沟壑区	2 854.0
				278	黄土阶地区	1 484.1
				279	高原土石山区	57.1
祖厉河	115	会宁以上	1 041	280	干旱黄土丘陵沟壑区	1 041.0
	116	巉口以上	1 640	281	干旱黄土丘陵沟壑区	1 640.0
	117	郭城驿—(会宁、巉口)	2 792	282	干旱黄土丘陵沟壑区	2 708.2
				283	黄土残塬沟壑区	83.8
	118	靖远—郭城驿	5 174	284	干旱黄土丘陵沟壑区	1 293.5
				285	干旱黄土丘陵沟壑区	2 638.7
				286	黄土残塬沟壑区	1 138.3
				287	高原土石山区	103.5
清水河	119	韩府湾以上	4 935	288	干旱黄土丘陵沟壑区	4 737.6
				289	高原土石山区	197.4
	120	泉眼山—韩府湾	9 545	290	干旱黄土丘陵沟壑区	3 340.7
				291	风沙黄土丘陵沟壑区	5 727.0
				292	高原土石山区	477.3

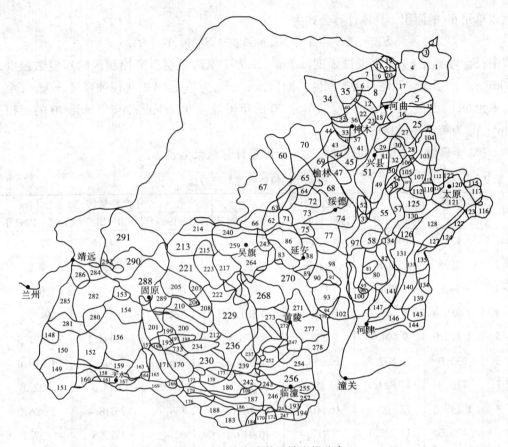

图 2-1　侵蚀产沙单元的空间分布

(二)单元侵蚀产沙量的计算

对于单一侵蚀类型的水文控制区(一个侵蚀单元),其侵蚀强度和产沙量直接应用水文控制区的实测资料。

对于包含多个侵蚀类型的水文控制区,各侵蚀产沙单元的侵蚀强度和产沙量按照面积的大小,分步计算。先将几个面积较小单元的产沙量计算出来,再用水文控制区的总产沙量减去小面积单元的产沙量作为该水文控制区最大产沙单元(即主要侵蚀类型区)的产沙量。较小面积的侵蚀强度和产沙量的计算,一般先用临近同一侵蚀类型区的侵蚀强度代替(多采用侵蚀类型单一的水文控制区实测值代替)。对于个别无法用临近地区同一侵蚀类型来代替的面积较小的单元,可先用临近地区同一侵蚀类型单元的侵蚀强度代替较大面积单元的侵蚀强度后,再行计算。例如:对于丁家沟至赵石窑控制区,按侵蚀类型可划分为三个侵蚀产沙单元:单元68(黄土峁状丘陵沟壑区,面积2 591.1km²)、单元69(风沙黄土丘陵沟壑区,面积1 538.4km²)、单元70(风沙草原区,面积3 967.5km²)。单元68与单元72相邻,单元72是大理河李家河水文站控制区,为单一的黄土峁状丘陵沟壑区,这样就可用单元72的侵蚀强度代替单元68的侵蚀强度;单元70与单元60相邻,单元60为韩家峁水文站控制区,为单一的风沙草原区,单元70的侵蚀强度可用单元60的来代替;剩余单元69的侵蚀强度用该控制区的总产沙量减去单元68和单元70的产沙量,再除以单元 69 的面积。具体计算公式为：

$$S_{69} = (S \times A - S_{68} \times A_{68} - S_{70} \times A_{70})/A_{69}$$

式中：S_{69} 为单元 69 的年侵蚀强度，t/km^2；S 为丁家沟至赵石窑控制区的年侵蚀强度，t/km^2；A 为丁家沟至赵石窑控制区的面积，km^2；S_{68} 为单元 68 的年侵蚀强度，t/km^2；A_{68} 为单元 68 的面积，km^2；S_{70} 为侵蚀单元 70 的年侵蚀强度，t/km^2；A_{70} 为单元 70 的面积，km^2；A_{69} 为单元 69 的面积，km^2。

292 个侵蚀产沙单元的侵蚀强度与产沙量计算结果见表 2-2。

表 2-2　　　　　　　　　　各单元的侵蚀强度与产沙量

单元	面积 (km²)	年侵蚀强度(t/km²)			年产沙量(万 t)		
		1955~1969 年	1970~1989 年	1955~1989 年	1955~1969 年	1970~1989 年	1955~1989 年
1	3 133.6	3 061.9	1 731.5	2 301.6	959.5	542.6	721.2
2	137.8	20.8	11.7	15.6	0.3	0.2	0.2
3	134.6	20.8	11.7	15.6	0.3	0.2	0.2
4	2 055.0	6 446.7	3 182.8	4 581.6	1 324.8	654.1	941.5
5	1 915.0	9 494.7	5 227.9	7 056.5	1 818.2	1 001.1	1 351.3
6	635.0	26 872.8	29 963.0	28 638.6	1 706.4	1 902.7	1 818.6
7	716.0	11 822.1	13 181.5	12 598.9	846.5	943.8	902.1
8	1 238.2	22 102.0	16 301.3	18 787.3	2 736.7	2 018.4	2 326.2
9	425.0	11 822.1	8 719.4	10 049.1	502.4	370.6	427.1
10	37.0	11 822.1	8 719.4	10 049.1	43.7	32.3	37.2
11	147.8	0	0	0	0	0	0
12	602.7	11 591.6	10 797.1	11 137.6	698.6	650.7	671.3
13	58.8	23 899.7	22 261.4	22 963.5	140.5	130.9	135.0
14	73.5	11 822.1	11 011.7	11 359.0	86.9	80.9	83.5
15	374.9	9 494.7	8 111.9	8 704.5	356.0	304.1	326.3
16	1 187.1	5 925.0	5 062.1	5 431.9	703.4	600.9	644.8
17	4 360.5	11 625.3	9 071.5	10 166.0	5 069.2	3 955.6	4 432.9
18	1 265.9	24 202.7	18 885.9	21 164.6	3 063.8	2 390.8	2 679.2
19	562.6	0	0	0	0	0	0
20	351.7	230.8	180.1	201.8	8.1	6.3	7.1
21	492.3	0	0	0	0	0	0
22	656.8	17 231.5	14 267.0	15 537.5	1 131.8	937.1	1 020.5
23	593.6	23 899.7	19 788.0	21 550.2	1 418.7	1 174.6	1 279.2

单元	面积 （km²）	年侵蚀强度(t/km²)			年产沙量(万 t)		
		1955~1969 年	1970~1989 年	1955~1989 年	1955~1969 年	1970~1989 年	1955~1989 年
24	12.6	11 822.1	9 788.2	10 659.9	14.9	12.3	13.4
25	2 679.3	2 518.4	2 231.7	2 354.6	674.8	597.9	630.9
26	201.7	20.8	18.4	19.4	0.4	0.4	0.4
27	261.8	1 777.4	687.7	1 154.7	46.5	18.0	30.2
28	214.2	20.8	8.0	13.5	0.4	0.2	0.3
29	774.2	21 024.4	6 718.1	12 849.4	1 627.7	520.1	994.8
30	908.8	20.8	6.6	12.7	1.9	0.6	1.2
31	782.3	18 395.5	9 025.5	13 041.2	1 439.1	706.1	1 020.2
32	693.7	20.8	10.2	14.7	1.4	0.7	1.0
33	307.1	13 045.7	12 027.5	12 463.9	400.6	369.4	382.8
34	3 531.9	7 488.2	6 903.7	7 154.2	2 644.8	2 438.3	2 526.8
35	1 527.0	11 822.1	12 109.4	11 986.2	1 805.2	1 849.1	1 830.3
36	946.7	13 045.7	12 559.2	12 767.7	1 235.0	1 189.0	1 208.7
37	386.4	6 775.9	6 523.2	6 631.5	261.8	252.1	256.2
38	309.1	8 819.8	8 490.9	8 631.8	272.6	262.5	266.8
39	38.6	230.8	222.2	225.8	0.9	0.9	0.9
40	251.2	11 822.1	11 381.2	11 570.2	297.0	285.9	290.6
41	1 212.3	40 389.3	29 990.8	34 447.3	4 896.4	3 635.8	4 176.0
42	134.7	8 819.8	6 549.1	7 522.2	118.8	88.2	101.3
43	1 424.6	8 761.7	4 681.3	6 430.0	1 248.2	666.9	916.0
44	670.4	230.8	123.3	169.4	15.5	8.3	11.4
45	972.7	14 984.4	9 198.7	11 678.2	1 457.5	894.8	1 135.9
46	185.3	8 819.8	5 414.3	6 873.8	163.4	100.3	127.4
47	1 053.7	22 524.3	10 388.2	15 589.4	2 373.4	1 094.6	1 642.7
48	67.3	8 819.8	4 067.7	6 104.3	59.4	27.4	41.1
49	1 517.1	19 508.8	10 615.4	14 426.9	2 959.7	1 610.5	2 188.7
50	355.9	20.8	11.3	15.3	0.7	0.4	0.5
51	6 269.4	12 073.8	4 207.4	7 578.7	7 569.5	2 637.8	4 751.4
52	696.6	16 763.9	5 841.7	10 522.7	1 167.8	406.9	733.0
53	134.8	10 267.7	4 459.8	6 948.9	138.4	60.1	93.7
54	614.2	20.8	9.0	14.0	1.3	0.6	0.9
55	1 877.6	16 672.5	6 867.6	11 069.7	3 130.4	1 289.5	2 078.4
56	67.1	16 763.9	6 905.2	11 130.4	112.5	46.3	74.7
57	1 408.3	20.8	8.5	13.8	2.9	1.2	1.9

单元	面积 (km²)	年侵蚀强度(t/km²)			年产沙量(万 t)		
		1955~1969 年	1970~1989 年	1955~1989 年	1955~1969 年	1970~1989 年	1955~1989 年
58	879.8	14 840.1	9 438.8	11 753.7	1 305.6	830.4	1 034.1
59	143.2	20.8	13.2	16.4	0.3	0.2	0.2
60	2 452.0	230.8	76.3	142.5	56.6	18.7	34.9
61	603.7	16 459.4	2 632.6	8 558.4	993.7	158.9	516.7
62	1 449.0	5 972.6	955.3	3 105.6	865.4	138.4	450.0
63	362.3	230.8	36.9	120.0	8.4	1.3	4.3
64	327.0	16 459.4	3 937.0	9 303.8	538.2	128.7	304.2
65	1 519.7	3 326.5	4 100.3	3 768.7	505.5	623.1	572.7
66	1 215.7	3 326.5	4 100.3	3 768.7	404.4	498.5	458.2
67	7 395.6	230.8	284.4	261.4	170.7	210.3	193.3
68	2 591.1	14 010.9	4 768.1	8 729.3	3 630.4	1 235.5	2 261.8
69	1 538.4	10 083.6	3 431.5	6 282.4	1551.3	527.9	966.5
70	3 967.5	230.8	78.5	143.8	91.6	31.1	57.1
71	662.0	14 634.0	4 879.2	9 059.8	968.8	323.0	599.8
72	807.0	14 010.9	3 235.1	7 853.3	1 130.7	261.1	633.8
73	2 424.0	15 286.9	9 615.6	12 046.2	3 705.5	2 330.8	2 920.0
74	2 902.0	20 959.7	10 268.5	14 850.5	6 082.5	2 979.9	4 309.6
75	748.7	15 286.9	9 137.0	11 772.7	1 144.5	684.1	881.4
76	164.3	13 279.5	7 937.2	10 226.8	218.2	130.4	168.0
77	1 941.8	13 613.6	8 051.5	10 435.3	2 643.5	1 563.4	2 026.3
78	613.2	13 250.8	7 837.0	10 157.2	812.5	480.6	622.8
79	159.7	14 741.0	7 031.6	10 335.6	235.4	112.3	165.1
80	2 155.7	9 704.1	4 629.0	6 804.1	2 091.9	997.9	1 466.8
81	239.5	16 763.9	7 996.6	11 754.0	401.5	191.5	281.5
82	1 437.1	20.8	9.9	14.6	3.0	1.4	2.1
83	661.5	9 022.1	6 381.3	7 513.1	596.8	422.1	497.0
84	57.5	116.7	82.5	97.2	0.7	0.5	0.6
85	288.7	11 872.2	7 578.3	9 418.6	342.8	218.8	271.9
86	2 694.7	14 634.0	9 341.3	11 609.6	3 943.4	2 517.2	3 128.4
87	224.6	6 022.6	3 844.4	4 777.9	135.3	86.3	107.3
88	1 630.1	7 603.3	4 245.2	5 684.4	1 239.4	692.0	926.6
89	333.9	523.9	292.5	391.7	17.5	9.8	13.1
90	1 121.0	523.9	740.3	647.5	58.7	83.0	72.6
91	394.9	6 273.5	6 313.3	6 296.2	247.7	249.3	248.6

单元	面积 (km²)	年侵蚀强度(t/km²)			年产沙量(万 t)		
		1955~1969 年	1970~1989 年	1955~1989 年	1955~1969 年	1970~1989 年	1955~1989 年
92	146.1	523.9	527.2	525.8	7.7	7.7	7.7
93	1 862.7	1 860.2	1 143.7	1 450.7	346.5	213.0	270.2
94	278.3	493.2	303.2	384.6	13.7	8.4	10.7
95	335.7	12 286.5	5 850.6	8 608.8	412.5	196.4	289.0
96	100.3	16 763.9	7 982.6	11 746.0	168.1	80.1	117.8
97	2 798.7	11 246.4	6 095.5	9 306.4	3 147.5	1 705.9	2 604.6
98	5 247.5	12 286.5	6 659.2	10 167.0	6 447.3	3 494.4	5 335.1
99	349.8	16 763.9	9 085.9	13 872.1	586.4	317.8	485.2
100	1 399.3	16 763.9	9 085.9	13 872.1	2 345.8	1 271.4	1 941.1
101	233.2	20.8	11.2	17.2	0.5	0.3	0.4
102	1 632.5	20.8	11.2	17.2	3.4	1.8	2.8
103	979.7	8 910.6	5 294.6	6 844.3	873.0	518.7	670.5
104	1 819.3	20.8	12.3	15.9	3.8	2.2	2.9
105	558.6	10 319.0	6 489.3	8 130.6	576.4	362.5	454.2
106	581.4	20.8	13.1	16.4	1.2	0.8	1.0
107	943.6	5 765.5	3 549.4	4 499.2	544.0	334.9	424.5
108	106.3	20.8	12.8	16.2	0.2	0.1	0.2
109	279.1	20.8	12.8	16.2	0.6	0.4	0.5
110	682.5	13 590.8	4 677.9	8 497.7	927.6	319.3	580.0
111	372.2	20.8	7.1	13.0	0.8	0.3	0.5
112	496.3	20.8	7.1	13.0	1.0	0.4	0.6
113	203.8	6 921.7	3 589.4	5 017.6	141.1	73.2	102.3
114	682.2	20.8	10.8	15.0	1.4	0.7	1.0
115	92.2	16 388.3	8 650.6	11 966.8	151.1	79.8	110.3
116	1 059.8	20.8	11.0	15.2	2.2	1.2	1.6
117	753.2	5 768.6	2 385.9	3 835.6	434.5	179.7	288.9
118	449.6	804.6	332.8	535.0	36.2	15.0	24.1
119	12.2	804.6	332.8	535.0	1.0	0.4	0.7
120	1 979.0	4 539.5	2 091.0	3 140.4	898.4	413.8	621.5
121	949.9	0	0	0	0	0	0
122	672.9	20.8	9.6	14.4	1.4	0.6	1.0
123	356.2	20.8	9.6	14.4	0.7	0.3	0.5
124	533.0	804.6	803.4	803.9	42.9	42.8	42.8
125	1 876.0	20.8	3.7	11.0	3.9	0.7	2.1

续表 2-2

单元	面积 (km²)	年侵蚀强度(t/km²)			年产沙量(万 t)		
		1955~1969 年	1970~1989 年	1955~1989 年	1955~1969 年	1970~1989 年	1955~1989 年
126	750.6	2 583.1	995.9	1 676.1	193.9	74.8	125.8
127	1 201.0	2 583.1	995.9	1 676.1	310.2	119.6	201.3
128	3 227.6	0	0	0	0	0	0
129	675.5	20.8	8.0	13.5	1.4	0.5	0.9
130	1 651.3	20.8	8.0	13.5	3.4	1.3	2.2
131	1 750.3	8 246.6	2 102.7	4 735.8	1 443.4	368.0	828.9
132	85.4	8 175.3	2 084.5	4 694.9	69.8	17.8	40.1
133	768.4	0	0	0	0	0	0
134	725.7	20.8	5.3	11.9	1.5	0.4	0.9
135	939.2	804.6	205.2	462.1	75.6	19.3	43.4
136	611.9	5 123.6	2 675.3	3 724.6	313.5	163.7	227.9
137	375.1	804.6	420.1	584.9	30.2	15.8	21.9
138	378.5	3 340.7	498.9	1 716.8	126.4	18.9	65.0
139	1 182.7	3 340.7	498.9	1 716.8	395.1	59.0	203.0
140	1 845.1	0	0	0	0	0	0
141	1 230.1	20.8	3.1	10.7	2.6	0.4	1.3
142	94.6	804.6	120.2	413.5	7.6	1.1	3.9
143	1 260.0	1 817.9	855.0	1 267.6	229.1	107.7	159.7
144	1 308.3	3 340.7	492.9	1 713.4	437.1	64.5	224.2
145	282.9	4 199.8	619.6	2 154.0	118.8	17.5	60.9
146	1 131.5	0	0	0	0	0	0
147	813.3	20.8	3.1	10.6	1.7	0.3	0.9
148	833.0	8 424.4	7 529.9	7 913.3	701.8	627.2	659.2
149	1 811.8	5 531.4	5 478.3	5 501.1	1 002.2	992.6	996.7
150	3 623.4	3 459.5	3 426.3	3 440.5	1 253.5	1 241.5	1 246.6
151	1 811.8	0	0	0	0	0	0
152	2 484.0	11 259.6	6 797.1	8 709.6	2 796.9	1 688.4	2 163.5
153	869.0	2 565.2	1 561.0	1 991.3	222.9	135.7	173.0
154	1 872.4	3 923.6	2 587.8	3 160.3	734.7	484.5	591.7
155	98.6	1 659.4	1 094.4	1 336.6	16.4	10.8	13.2
156	6 268.5	10 213.5	6 680.9	8 194.9	6 402.3	4 187.9	5 137.0
157	696.5	1 659.4	1 085.4	1 331.4	115.6	75.6	92.7
158	1 113.0	5 531.4	3 524.6	4 384.7	615.6	392.3	488.0
159	1 495.5	13 594.9	8 662.6	10 776.5	2 033.1	1 295.5	1 611.6

单元	面积 (km²)	年侵蚀强度(t/km²)			年产沙量(万 t)		
		1955~1969 年	1970~1989 年	1955~1989 年	1955~1969 年	1970~1989 年	1955~1989 年
160	869.5	0	0	0	0	0	0
161	856.0	5 531.4	2 751.7	3 943.0	473.5	235.5	337.5
162	163.0	0	0	0	0	0	0
163	1 303.6	4 064.7	3 431.4	3 702.8	529.9	447.3	482.7
164	532.4	1 209.0	1 020.7	1 101.4	64.4	54.3	58.6
165	846.0	1 209.0	1 045.5	1 115.6	102.3	88.4	94.4
166	402.0	1 659.4	1 429.5	1 528.0	66.7	57.5	61.4
167	793.3	12 809.0	5 368.7	8 557.4	1 016.1	425.9	678.9
168	158.7	4 074.3	1 707.7	2 722.0	64.7	27.1	43.2
169	2 221.0	1 659.4	695.5	1 108.6	368.6	154.5	246.2
170	1 731.7	1 762.5	1 657.3	1 702.4	305.2	287.0	294.8
171	1 203.3	1 209.0	1 136.9	1 167.8	145.5	136.8	140.5
172	784.3	9 277.8	7 694.7	8 373.2	727.7	603.5	656.7
173	409.2	401.0	332.6	361.9	16.4	13.6	14.8
174	375.1	401.0	332.6	361.9	15.0	12.5	13.6
175	647.9	0	0	0	0	0	0
176	1 193.5	1 659.4	1 376.2	1 497.6	198.0	164.2	178.7
177	845.9	1 762.5	768.2	1 194.4	149.1	65.0	101.0
178	161.1	433.0	188.7	293.4	7.0	3.0	4.7
179	867.7	215.5	93.7	150.9	18.7	8.1	13.1
180	1 707.4	175.6	76.3	122.9	30.0	13.0	21.0
181	195.9	0	0	0	0	0	0
182	28.0	163.4	71.0	114.3	0.5	0.2	0.3
183	1 481.0	163.4	235.8	204.7	24.2	34.9	30.3
184	347.0	493.2	251.2	354.9	17.1	8.7	12.3
185	376.8	4 991.4	497.4	2 423.4	188.1	18.7	91.3
186	837.4	4 991.4	497.4	2 423.4	418.0	41.7	202.9
187	1 256.1	0	0	0	0	0	0
188	1 716.7	163.4	16.3	79.3	28.1	2.8	13.6
189	39.6	910.1	860.2	881.6	3.6	3.4	3.5
190	526.4	163.4	154.4	158.2	8.6	8.1	8.3
191	151.7	445.1	438.6	441.4	6.8	6.7	6.7
192	480.3	163.4	161.0	162.0	7.8	7.7	7.8
193	528.3	5 990.5	3 502.9	4 569.0	316.5	185.1	241.4

单元	面积 (km²)	年侵蚀强度(t/km²)			年产沙量(万 t)		
		1955～1969 年	1970～1989 年	1955～1989 年	1955～1969 年	1970～1989 年	1955～1989 年
194	1 072.7	493.2	288.4	376.1	52.9	30.9	40.3
195	702.5	1 953.5	1 443.1	1 661.8	137.2	101.4	116.7
196	430.5	1 209.0	893.1	1 028.5	52.0	38.4	44.3
197	199.7	1 949.5	1 791.8	1 859.3	38.9	35.8	37.1
198	312.3	8 641.8	7 942.7	8 242.3	269.9	248.1	257.4
199	300.0	22 816.6	13 766.7	17 645.2	684.5	413.0	529.4
200	675.0	13 711.7	8 273.1	10 603.9	925.5	558.4	715.8
201	525.0	1 209.0	729.5	935.0	63.5	38.3	49.1
202	65.4	1 949.5	1 112.1	1 470.9	12.7	7.3	9.6
203	130.6	15 347.0	8 754.7	11 580.0	200.4	114.3	151.2
204	1 111.0	13 711.7	7 821.9	10 346.1	1 523.4	869.0	1 149.5
205	1 969.7	9 741.2	6 962.4	8 153.3	1 918.7	1 371.4	1 606.0
206	294.3	13 711.7	9 800.2	11 476.5	403.5	288.4	337.8
207	276.8	9 743.1	6 959.4	8 351.3	269.7	192.6	231.2
208	981.2	721.1	515.1	618.1	70.8	50.5	60.6
209	1 540.2	15 397.9	10 862.1	12 806.0	2 371.6	1 673.0	1 972.4
210	1 906.8	4 455.8	3 143.3	3 705.8	849.6	599.4	706.6
211	220.0	1 209.0	852.9	1 005.5	26.6	18.8	22.1
212	2 483.0	4 455.8	3 811.9	4 087.8	1 106.4	946.5	1 015.0
213	2 784.0	13 785.4	10 081.0	11 668.6	3 837.9	2 806.6	3 248.5
214	1 345.6	6 022.6	4 404.2	5 097.8	810.4	592.6	686.0
215	371.2	6 267.3	4 583.2	5 304.9	232.6	170.1	196.9
216	139.2	230.8	168.8	195.3	3.2	2.3	2.7
217	528.0	7 980.4	7 538.1	7 727.6	421.4	398.0	408.0
218	1 746.6	8 032.9	5 269.6	6 453.9	1 403.0	920.4	1 127.2
219	295.2	116.7	76.6	93.8	3.4	2.3	2.8
220	418.2	13 620.9	8 935.3	10 943.4	569.6	373.7	457.7
221	1 338.7	8 032.9	6 292.5	7 038.4	1 075.4	842.4	942.2
222	654.5	13 600.7	10 654	11 916.9	890.2	697.3	780.0
223	981.8	5 761.2	4 512.9	5 047.9	565.6	443.1	495.6
224	153.3	8 032.9	5 214.0	6 422.2	123.1	79.9	98.5
225	443.9	116.7	75.8	93.3	5.2	3.4	4.1
226	209.8	3 181.3	2 065.0	2 543.4	66.7	43.3	53.4
227	1 065.3	116.7	117.4	117.1	12.4	12.5	12.5

单元	面积 （km²）	年侵蚀强度(t/km²)			年产沙量(万 t)		
		1955~1969 年	1970~1989 年	1955~1989 年	1955~1969 年	1970~1989 年	1955~1989 年
228	76.1	8 032.9	8 078.6	8 059.0	61.1	61.5	61.3
229	6 467.6	6 400.1	6 436.5	6 420.9	4 139.3	4 162.9	4 152.8
230	1 888.5	3 939.0	3 027.1	3 417.9	743.9	571.7	645.5
231	521.9	4 455.8	3 424.3	3 866.4	232.5	178.7	201.8
232	74.6	163.4	125.5	141.7	1.2	0.9	1.1
233	451.8	1 949.5	1 482.4	1 682.6	88.1	67.0	76.0
234	1 054.2	9 841.7	7 484.0	8 494.4	1 037.5	789.0	895.5
235	220.3	116.7	40.3	73.1	2.6	0.9	1.6
236	2 926.7	13 172.1	4 552.1	8 246.4	3 855.1	1 332.3	2 413.5
237	484.7	6 334.9	4 764.0	5 437.2	307.1	230.9	263.5
238	825.3	163.4	122.8	140.2	13.5	10.1	11.6
239	1 446.2	1 886.4	7 602.6	5 152.8	272.8	1 099.5	745.2
240	178.8	163.4	658.4	446.2	2.9	11.8	8.0
241	107.9	13 558.9	5 228.0	8 798.4	146.3	56.4	94.9
242	1 272.6	1 321.0	509.3	857.2	168.1	64.8	109.1
243	711.8	0	0	0	0	0	0
244	64.7	163.4	63.0	106.0	1.1	0.4	0.7
245	552.0	18 829.9	16 162.1	17 305.4	1 039.4	892.1	955.3
246	1 334.0	0	0	0	0	0	0
247	414.0	493.2	423.3	453.2	20.4	17.5	18.8
248	128.1	11 559.4	7 493.7	9 236.1	148.1	96.0	118.3
249	545.9	163.4	105.9	130.5	8.9	5.8	7.1
250	534.0	3 418.6	1 956.1	2 582.9	182.6	104.5	137.9
251	263.0	163.4	93.5	123.4	4.3	2.5	3.2
252	1 236.5	17 907.8	7 510.5	11 966.5	2 214.3	928.7	1 479.7
253	154.6	6 336.1	2 657.4	4 234.0	98.0	41.1	65.5
254	2 318.4	1 321.0	554.0	882.7	306.3	128.4	204.6
255	618.2	5 953.9	2 497.1	3 978.5	368.1	154.4	246.0
256	2 318.4	0	0	0	0	0	0
257	850.1	163.4	68.5	109.2	13.9	5.8	9.3
258	231.8	163.4	68.5	109.2	3.8	1.6	2.5
259	2 574.2	19 885.4	12 256.6	15 526.1	5 118.9	3 155.1	3 996.7
260	998.9	6 022.6	3 712.1	4 702.3	601.6	370.8	469.7
261	268.9	230.8	142.2	180.2	6.2	3.8	4.8

单元	面积（km²）	年侵蚀强度(t/km²)			年产沙量(万 t)		
		1955～1969 年	1970～1989 年	1955～1989 年	1955～1969 年	1970～1989 年	1955～1989 年
262	642.4	19 129.3	15 199.3	16 883.6	1 228.9	976.4	1 084.6
263	131.6	6 022.6	4 785.3	5 315.6	79.3	63.0	70.0
264	2 465.2	8 772.5	6 112.7	7 252.6	2 162.6	1 506.9	1 787.9
265	216.7	116.7	81.3	96.5	2.5	1.8	2.1
266	27.1	116.7	81.3	96.5	0.3	0.2	0.3
267	235.8	1 620.7	1 595.7	1 606.4	38.2	37.6	37.9
268	4 479.2	37.6	37.0	37.2	16.8	16.6	16.7
269	257.0	8 779.5	4 547.2	6361.1	225.6	116.9	163.5
270	3 649.4	116.7	60.4	84.6	42.6	22.0	30.9
271	1 233.6	4 578.4	2 371.3	3 317.2	564.8	292.5	409.2
272	407.9	1 275.5	1 275.8	1 275.7	52.0	52.0	52.0
273	1 495.5	116.7	116.7	116.7	17.5	17.5	17.5
274	362.6	163.4	163.4	163.4	5.9	5.9	5.9
275	1 198.6	608.6	640.9	627.1	72.9	76.8	75.2
276	114.2	32.4	34.1	33.3	0.4	0.4	0.4
277	2 854.0	608.6	640.9	627.1	173.7	182.9	179.0
278	1 484.1	670.0	705.7	690.4	99.4	104.7	102.5
279	57.1	163.4	172.0	168.3	0.9	1.0	1.0
280	1 041.0	6 101.1	4 421.2	5 141.2	635.1	460.2	535.2
281	1 640.0	4 527.8	3 839.9	4 134.7	742.6	629.7	678.1
282	2 708.2	8 893.0	5 457.7	6 930.0	2 408.4	1 478.1	1 876.8
283	83.8	8 454.9	5 188.9	6 588.6	70.9	43.5	55.2
284	1 293.5	6 101.1	3 337.2	4 521.7	789.2	431.7	584.9
285	2 638.7	6 101.1	3 337.2	4 521.7	1 609.9	880.6	1 193.1
286	1 138.3	8 387.9	4 588.0	6 216.6	954.8	522.3	707.6
287	103.5	1 209.0	661.3	896.1	12.5	6.8	9.3
288	4 737.6	4 527.3	2 308.1	3 259.2	2 144.9	1 093.5	1 544.1
289	197.4	1 209.0	616.4	870.4	23.9	12.2	17.2
290	3 340.7	1 067.4	815.2	923.3	356.6	272.3	308.4
291	5 727.0	1 142.7	872.8	988.5	654.4	499.9	566.1
292	477.3	163.4	124.8	141.3	7.8	6.0	6.7
全区	310 104.0	6 302.1	3 928.4	4 982.0	195 397.1	121 794.2	154 464.3

第二节 侵蚀产沙特征

一、侵蚀强度的结构特征

关于黄土高原侵蚀强度的结构特征,分别按 1955～1969 年(治理前状况)、1970～1989 年(治理期状况)和 1955～1989 年(平均状况)三种时段统计计算,结果见表 2-3 和表 2-4。

表 2-3   不同侵蚀强度的面积结构特征

强度分级	标准 〔t/(km²·a)〕	面积(km²)			占总面积的比例(%)			治理前后变化(%)
		治理前	治理期	平均	治理前	治理期	平均	
微弱侵蚀	<1 000	92 166.9	118 657.9	105 651.5	29.7	38.3	34.1	28.7
轻度侵蚀	1 000～2 500	30 799.8	29 371.5	28 869.1	9.9	9.5	9.3	−4.6
中度侵蚀	2 500～5 000	39 827.8	57 168.4	42 901.9	12.8	18.4	13.8	43.5
强度侵蚀	5 000～7 500	32 577.9	51 749.9	39 707.6	10.5	16.7	12.8	58.8
强烈侵蚀	7 500～10 000	27 399.1	28 551.4	35 947.5	8.8	9.2	11.6	4.2
极强烈侵蚀	10 000～15 000	58 740.9	18 406.7	46 243.5	18.9	5.9	14.9	−68.7
剧烈侵蚀	15 000～20 000	18 557.9	4 292.1	7 017.3	6.0	1.4	2.3	−76.9
极剧烈侵蚀	>20 000	10 033.7	1 906.1	3 765.6	3.2	0.6	1.2	−81.0
剧烈侵蚀以上	>15 000	28 591.6	6 198.2	10 782.9	9.2	2.0	3.5	−78.3
极强烈侵蚀以上	>10 000	87 332.5	24 604.9	57 026.4	28.2	7.9	18.4	−71.8
强度侵蚀以上	>5 000	147 309.5	104 906.2	132 681.5	47.5	33.8	42.8	−28.8
中度侵蚀以上	>2 500	187 137.3	162 074.6	175 583.4	60.3	52.3	56.6	−13.4

注:治理前后变化=(治理期面积−治理前面积)/治理前面积×100%。

表 2-4   不同侵蚀强度的产沙量结构特征

强度分级	标准 〔t/(km²·a)〕	产沙量(万 t)			占总总产沙量的比例(%)			治理前后变化(%)
		治理前	治理期	平均	治理前	治理期	平均	
微弱侵蚀	<1 000	1 539.2	3 199.3	2 624.1	0.8	2.6	1.7	107.9
轻度侵蚀	1 000～2 500	4 457.7	5 359.6	4 837.3	2.3	4.4	3.1	20.2
中度侵蚀	2 500～5 000	15 069.6	22 037.9	16 343.4	7.7	18.1	10.6	46.2
强度侵蚀	5 000～7 500	20 260.2	32 639.7	25 239.4	10.4	26.8	16.3	61.1
强烈侵蚀	7 500～10 000	24 182.5	24 700.3	29 840.0	12.4	20.3	19.3	2.1
极强烈侵蚀	10 000～15 000	73 007.5	20 735.8	53 936.6	37.4	17.0	34.9	−71.6
剧烈侵蚀	15 000～20 000	32 149.6	7 479.6	11 555.3	16.5	6.1	7.5	−76.7
极剧烈侵蚀	>20 000	24 765.5	5 669.3	10 118.6	12.7	4.7	6.5	−77.1
剧烈侵蚀以上	>15 000	56 915.1	13 148.9	21 673.9	29.1	10.8	14.0	−76.9
极强烈侵蚀以上	>10 000	129 922.6	33 884.7	75 610.5	66.5	27.8	48.9	−73.9
强度侵蚀以上	>5 000	174 365.3	91 224.7	130 689.9	89.2	74.9	84.6	−47.7
中度侵蚀以上	>2 500	189 434.9	113 262.5	147 033.3	96.9	93.0	95.2	−40.2

注:治理前后变化=(治理期产沙量−治理前产沙量)/治理前产沙量×100%。

根据 1955～1989 年 35 年的平均统计情况,黄土高原产沙量主要来自侵蚀强度大于 5 000t/(km²·a) 的强度以上的侵蚀区,其侵蚀面积占总面积的 42.8%,产沙量占全区总产沙量的近 85.0%;重点来自侵蚀强度大于 10 000t/(km²·a) 的极强烈以上的侵蚀区,虽然侵蚀面积仅占总面积的 18.4%,但其产沙量几乎占到全区总产沙量的 50.0%。在 8 种侵蚀强度分级中,产沙量主要来自 2 500～15 000t/(km²·a) 之间的 4 种侵蚀强度,其产沙量占全区总产沙量的近 90.0%,其中 10 000～15 000t/(km²·a) 的极强烈侵蚀占全区总产沙量的 35.0%。

从治理前后的统计结果看出,由于降雨因素和水土保持作用的影响,侵蚀强度的结构特征发生了明显变化。首先从面积结构特征看,侵蚀强度大于 10 000t/(km²·a) 的极强烈以上侵蚀的面积急剧减少,由 8.7 万 km² 减少到 2.5 万 km²,减幅 71.8%,占全区总面积的比例由 28.2% 降低到 7.9%。其中侵蚀强度大于 15 000t/(km²·a) 的剧烈以上的侵蚀面积由 2.9 万 km² 减少到 0.6 万 km²,减幅 78.3%;侵蚀强度大于 20 000t/(km²·a) 的极剧烈以上的侵蚀面积由治理前的 1.0 万 km² 减少到仅有 0.2 万 km²,减幅 81.0%。在 8 种侵蚀强度分级中,侵蚀面积减幅较大的分别为极剧烈侵蚀(81.0%)、剧烈侵蚀(76.9%)和极强烈侵蚀(68.7%)。再从产沙量结构特征看,侵蚀强度大于 10 000t/(km²·a) 的极强烈以上侵蚀区的产沙量占全区总产沙量的比例由 66.5% 减少到 27.8%,其中减幅较大的三个侵蚀强度级别为极剧烈侵蚀(77.1%)、剧烈侵蚀(76.7%)和极强烈侵蚀(71.6%)。

从治理前后各级侵蚀强度量的面积结构和产沙量结构变化的同步性看,侵蚀强度大于 10 000t/(km²·a) 的极强烈以上侵蚀区,面积减幅和产沙量减幅基本一致,分别为 71.8% 和 73.9%。在 8 种侵蚀强度分级中,除微弱侵蚀、轻度侵蚀和强烈侵蚀的面积和产沙量增减幅度变化不一致外,其余 5 种侵蚀强度面积和产沙量的增减幅度变化基本一致。

二、侵蚀强度的区域分异

根据 292 个单元侵蚀强度的计算结果,分别绘制了 1955～1969 年、1970～1989 年和 1955～1989 年 3 个统计时段的黄土高原侵蚀强度等值线图(图 2-2～图 2-4)。同时,根据 1955～1969 年和 1970～1989 年 2 个统计时段各单元的侵蚀强度计算结果,绘制了治理前后侵蚀强度空间变幅图(图 2-5)和侵蚀强度小于 5 000t/(km²·a)、5 000～10 000t/(km²·a) 和大于 10 000t/(km²·a) 三个强度分级的区域空间分布图(图 2-6～图 2-7)。

从上述图中可以看出,黄土高原侵蚀产沙的区域分异变化具有以下几个特点:

(1)治理前,侵蚀强度大于 10 000t/(km²·a) 的区域集中分布在河口镇至龙门区间黄河干流两岸的大部分地区、北洛河上游地区、泾河中上游的部分地区以及渭河葫芦河和散渡河流域的大部分地区。治理后,侵蚀强度大于 10 000t/(km²·a) 的地区仅零散地分布在黄甫川流域,靠近黄河两岸的窟野河、佳芦河、无定河、湫水河下游地区,以及北洛河、泾河的河源地区。

(2)由于治理后,河龙区间和泾、渭河上游地区侵蚀强度大于 10 000t/(km²·a) 的区域面积大幅度减少,上述大部分地区变成了 5 000～10 000t/(km²·a) 的侵蚀区。侵蚀强度小于 5 000t/(km²·a) 的面积分布变化不大。

(3)治理后,减沙幅度最大的区域主要分布在以无定河为中心的极强烈侵蚀区和汾河

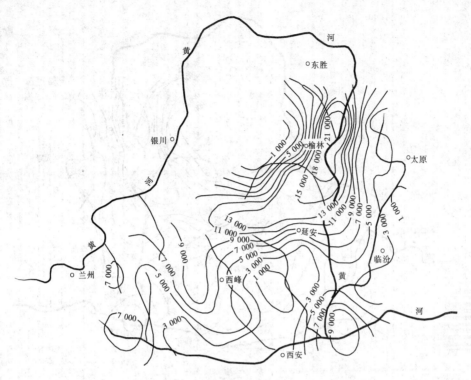

图 2-2　黄土高原年平均侵蚀强度等值线图(1955~1969 年)(单位:t/km²)

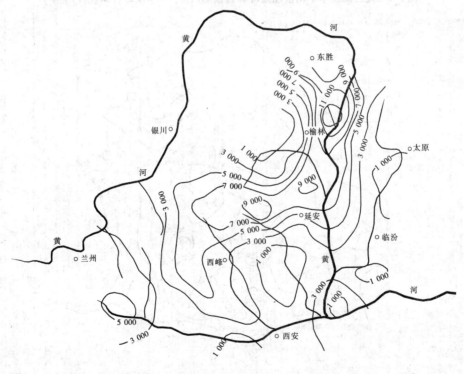

图 2-3　黄土高原年平均侵蚀强度等值线图(1970~1989 年)(单位:t/km²)

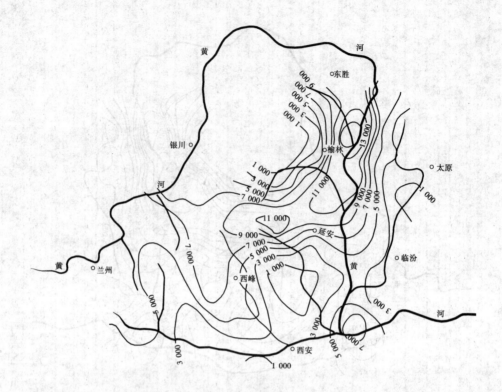

图 2-4　黄土高原年平均侵蚀强度等值线图(1955~1989 年)(单位:t/km²)

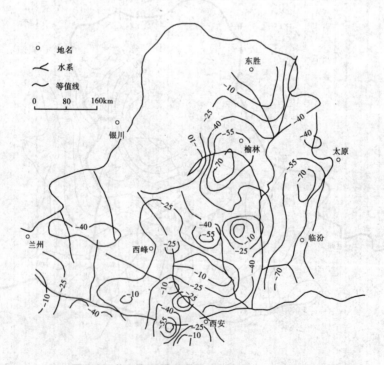

图 2-5　黄土高原治理前后减沙幅度(％)分布图

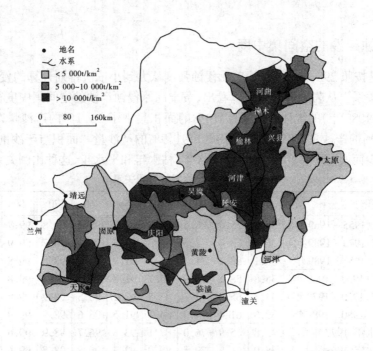

图 2-6　黄土高原年侵蚀强度分级区域空间分布图(1955~1969 年)

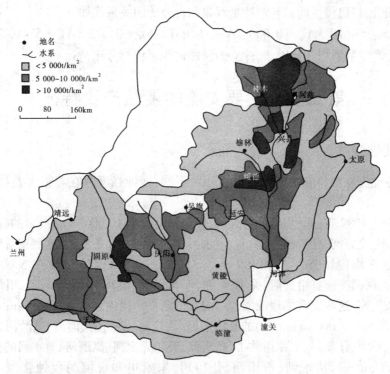

图 2-7　黄土高原年侵蚀强度分级区域空间分布图(1970~1989 年)

流域的大部分地区(减幅在 50% 以上),其次是延河流域的附近地区(减幅在 30%~50% 之间),其他区域减幅程度不很明显。

三、侵蚀产沙的空间集中度

表 2-5 是按照 292 个侵蚀产沙单元侵蚀强度从大到小依次排列计算的侵蚀面积与产沙量的累积关系。从表中的结果可以看出，黄土高原侵蚀产沙的空间集中度很高，就平均状况（1955～1989 年）的统计结果来看，10% 的面积集中了 36.1% 的产沙量，30% 的面积集中了 71.8% 的产沙量，50% 的面积集中了 91.9% 的产沙量。面积与产沙量的关系不依产沙量的多少而发生明显变化，不论是丰水年、枯水年和平水年，这种比例关系基本不变。

表 2-5 　　　　　　　　　　侵蚀面积与产沙量的累积关系 　　　　　　　　　（%）

	面积（%）	10	20	30	40	50	60	70	80	90	100
产沙量（%）	治理前（1955～1969 年）	37.5	55.0	68.6	82.6	91.8	96.3	98.8	99.7	100.0	100.0
	治理后（1970～1989 年）	36.6	63.6	72.3	84.3	91.3	96.6	98.7	99.9	100.0	100.0
	平　　均（1955～1989 年）	36.1	58.1	71.8	81.9	91.9	96.1	98.8	99.8	100.0	100.0
	60 年代（1960～1969 年）	35.8	58.5	75.9	85.7	91.8	96.5	99.2	99.8	100.0	100.0
	70 年代（1970～1979 年）	44.3	65.0	73.3	85.5	92.1	96.5	98.9	99.8	100.0	100.0
	80 年代（1980～1989 年）	39.8	61.4	74.0	86.1	91.5	96.6	98.9	99.9	100.0	100.0
	丰水年（1977 年）	45.8	65.9	76.0	87.1	93.8	96.7	98.9	99.6	100.0	100.0
	平水年（1968 年）	38.9	61.8	79.5	88.0	92.3	96.8	98.9	99.6	100.0	100.0
	枯水年（1965 年）	44.0	55.5	68.4	85.9	91.1	94.0	97.1	99.0	100.0	100.0

通过拟合，得出侵蚀面积与产沙量双累积百分比的关系式如下：

$$S_\% = -10^{-6}A_\%^4 + 0.000\,4A_\%^3 - 0.051\,5A_\%^2 + 3.472\,5A_\% + 5.410\,7$$

式中：$S_\%$ 为产沙量累积百分比，%；$A_\%$ 为侵蚀面积累积百分比，%。

第三节　主要支流的侵蚀产沙特征

一、侵蚀强度

由于各支流发育和流经区域的侵蚀环境不同，侵蚀强度存在着很大差异（表 2-6 和表 2-7）。

从 1955～1989 年的平均统计情况看，侵蚀强度大于 10 000t/(km²·a) 的有黄甫川、清水川、孤山川、窟野河、佳芦河、清涧河、湫水河和屈产河共 8 条支流，这些支流的侵蚀强度一般为全区平均侵蚀强度 4 928t/(km²·a) 的 2～4 倍；侵蚀强度在 5 000～10 000 t/(km²·a) 之间的支流有祖厉河、秃尾河、延河、偏关河、县川河、蔚汾河、三川河、州川河、泾河共 9 条支流，这些支流的侵蚀强度一般为全区平均侵蚀强度 4 928t/(km²·a) 的 1～2 倍；侵蚀强度小于 5 000t/(km²·a) 的有清水河、无定河、汾川河、浑河、岚漪河、昕水河、汾河、北洛河、渭河、仕望川、朱家川共 11 条支流，其中无定河、岚漪河、昕水河的侵蚀强度接近 5 000 t/(km²·a)，清水河、汾川河、仕望川、朱家川和汾河的侵蚀强度不到 2 000 t/(km²·a)。

从各个支流治理前后侵蚀强度的变化情况看，侵蚀强度减小一半以上的有佳芦河、无定河、岚漪河、蔚汾河、三川河、昕水河、州川河、汾河共 8 条支流；减小 30% 以上的有祖厉河、清水河、秃尾河、清涧河、延河、仕望川、浑河、偏关河、湫水河、屈产河、北洛河、渭河共 12 条支流；黄甫川、清水川、窟野河、朱家川、县川河、汾川河等支流治理前后侵蚀强度变化不大。

表 2-6 　　　　　　　　　　　　主要支流的侵蚀强度

流域	面积（km²）	流域侵蚀强度〔t/(km²·a)〕			流域侵蚀强度/全区侵蚀强度			治理期/治理前
		治理前（1955~1969年）	治理期（1970~1989年）	平均（1955~1989年）	治理前（1955~1969年）	治理期（1970~1989年）	平均（1955~1989年）	
祖厉河	10 647	6 784.4	4 182.3	5 297.5	1.08	1.06	1.07	0.62
清水河	14 480	2 201.3	1 301.0	1 686.8	0.35	0.33	0.34	0.59
黄甫川	3 199	18 242.4	16 466.8	17 227.7	2.89	4.19	3.50	0.90
清水川	735	12 599.3	11 735.7	12 105.8	2.00	2.99	2.46	0.93
孤山川	1 263	20 311.5	16 817.2	18 314.7	3.22	4.28	3.72	0.83
窟野河	8 645	13 803.5	11 996.6	12 771.0	2.19	3.05	2.59	0.87
秃尾河	3 253	8 867.6	5 134.5	6 734.4	1.41	1.31	1.37	0.58
佳芦河	1 121	21 701.5	10 008.7	15 019.9	3.44	2.55	3.05	0.46
无定河	30 217	6 851.6	3 133.2	4 726.8	1.09	0.80	0.96	0.46
清涧河	3 468	13 894.9	8 242.5	10 665.0	2.20	2.10	2.16	0.59
延河	5 891	10 653.3	6 699.5	8 394.0	1.69	1.71	1.70	0.63
汾川河	1 662	1 890.0	2 045.7	1 979.0	0.30	0.52	0.40	1.08
仕望川	2 141	1 682.5	1 034.4	1 312.2	0.27	0.26	0.27	0.61
浑河	5 461	4 183.9	2 191.8	3 045.6	0.66	0.56	0.62	0.52
偏关河	1 915	9 494.7	5 227.9	7 056.5	1.51	1.33	1.43	0.55
县川河	1 562	6 781.7	5 794.1	6 217.3	1.08	1.47	1.26	0.85
朱家川	2 881	2 343.6	2 076.7	2 191.1	0.37	0.53	0.44	0.89
岚漪河	2 159	7 765.5	2 496.0	4 754.4	1.23	0.64	0.96	0.32
蔚汾河	1 476	9 759.6	4 788.4	6 918.9	1.55	1.22	1.40	0.49
湫水河	1 873	15 805.7	8 600.5	11 688.4	2.51	2.19	2.37	0.54
三川河	4 102	8 253.3	3 407.3	5 484.2	1.31	0.87	1.11	0.41
屈产河	1 023	12 765.7	8 119.4	10 110.7	2.03	2.07	2.05	0.64
昕水河	3 992	6 843.2	3 264.3	4 798.1	1.09	0.83	0.97	0.48
州川河	436	13 316.5	6 341.0	9 330.5	2.11	1.61	1.89	0.48
汾河	38 728	2 170.1	877.5	1 431.5	0.34	0.22	0.29	0.40
北洛河	25 154	4 178.7	2 784.8	3 382.2	0.66	0.71	0.69	0.67
泾河	45 373	7 056.7	5 199.4	5 996.9	1.12	1.32	1.22	0.74
渭河	46 827	4 363.5	2 935.5	3 547.8	0.69	0.75	0.72	0.67
全区	310 104	6 302.1	3 928.4	4 982.0	1.00	1.00	1.00	0.62

表 2-7　　　　　　　　　　　　　主要支流的产沙量

流域	面积（km²）	产沙量（万 t）			占全区的比例（%）			治理前后变化（%）
		治理前（1955~1969年）	治理期（1970~1989年）	平均（1955~1989年）	治理前（1955~1969年）	治理期（1970~1989年）	平均（1955~1989年）	
祖厉河	10 647	7 223.4	4 452.9	5 640.2	3.7	3.7	3.7	−38.4
清水河	14 480	3 187.5	1 883.8	2 442.5	1.6	1.5	1.6	−40.9
黄甫川	3 199	5 835.7	5 267.7	5 511.1	3.0	4.3	3.6	−9.7
清水川	735	926.0	862.6	889.8	0.5	0.7	0.6	−6.8
孤山川	1 263	2 565.3	2 124.0	2 313.1	1.3	1.7	1.5	−17.2
窟野河	8 645	11 933.1	10 371.1	11 040.5	6.1	8.5	7.1	−13.1
秃尾河	3 253	2 884.6	1 670.3	2 190.7	1.5	1.4	1.4	−42.1
佳芦河	1 121	2 432.7	1 122.0	1 683.7	1.2	0.9	1.1	−53.9
无定河	30 217	20 703.5	9 467.6	14 283.0	10.6	7.8	9.2	−54.3
清涧河	3 468	4 818.8	2 858.5	3 698.6	2.5	2.3	2.4	−40.7
延河	5 891	6 275.9	3 946.7	4 944.9	3.2	3.2	3.2	−37.1
汾川河	1 662	314.1	340.0	328.9	0.2	0.3	0.2	8.2
仕望川	2 141	360.2	221.5	280.9	0.2	0.2	0.2	−38.5
浑河	5 461	2 284.8	1 196.9	1 663.2	1.2	1.0	1.1	−47.6
偏关河	1 915	1 818.2	1 001.1	1 351.3	0.9	0.8	0.9	−44.9
县川河	1 562	1 059.3	905.0	971.1	0.5	0.7	0.6	−14.6
朱家川	2 881	675.2	598.3	631.3	0.3	0.5	0.4	−11.4
岚漪河	2 159	1 676.6	538.9	1 026.5	0.9	0.4	0.7	−67.9
蔚汾河	1 476	1 440.5	706.8	1 021.2	0.7	0.6	0.7	−50.9
湫水河	1 873	2 960.4	1 610.9	2 189.2	1.5	1.3	1.4	−45.6
三川河	4 102	3 385.5	1 397.7	2 249.6	1.7	1.1	1.5	−58.7
屈产河	1 023	1 305.9	830.6	1 034.0	0.7	0.7	0.7	−36.4
昕水河	3 992	2 731.8	1 303.0	1 915.4	1.4	1.1	1.2	−52.3
州川河	436	580.6	276.5	406.8	0.3	0.2	0.3	−52.4
汾河	38 728	8 404.4	3 398.4	5 543.9	4.3	2.8	3.6	−59.6
北洛河	25 154	10 511.1	7 004.9	8 507.6	5.4	5.8	5.5	−33.4
泾河	45 373	32 018.4	23 591.2	27 209.7	16.4	19.4	17.6	−26.3
渭河	46 827	20 433.0	13 746.1	16 613.3	10.5	11.3	10.8	−32.7
全区	310 104	195 430.6	121 821.3	154 493.8	100.0	100.0	100.0	−37.7

注:治理前后变化＝(治理期产沙量－治理前产沙量)/治理前产沙量×100%。

表2-8列出了各支流侵蚀强度≥5 000t/(km²·a)的面积变化情况。从1955~1989年平均统计情况看,全区域侵蚀强度≥5 000t/(km²·a)的地区主要集中在无定河、窟野河、北洛河、泾河、渭河和祖厉河等流域,这几条流域占全区侵蚀强度≥5 000t/(km²·a)的总面积的68.3%。从治理前后的变化情况看,减幅最大的有浑河(100.0%)、昕水河(84.4%)、汾河(75.5%)、无定河(60.0%)、秃尾河(55.2%)。

表2-8　　　　　　　　　主要支流年侵蚀强度≥5 000t/km²的面积变化

流域	面积 (km²)	面积(km²)			占全区的同类面积比例(%)			治理前后变化(%)
		治理前 (1955~ 1969年)	治理期 (1970~ 1989年)	平均 (1955~ 1989年)	治理前 (1955~ 1969年)	治理期 (1970~ 1989年)	平均 (1955~ 1989年)	
祖厉河	1 0647	8 903.5	2 792.0	4971.3	6.0	2.7	3.7	−68.6
清水河	14 480	0	0	0	0	0	0	/
黄甫川	3 199	3 051.2	3 051.2	3 051.2	2.1	2.9	2.3	0
清水川	735	735.0	735.0	735.0	0.5	0.7	0.6	0
孤山川	1 263	1 263.0	1 263.0	1 263.0	0.9	1.2	1.0	0
窟野河	8 645	8 606.4	8 606.4	8 606.4	5.8	8.2	6.5	0
秃尾河	3 253	2 582.6	1 158.0	2 582.6	1.8	1.1	1.9	−55.2
佳芦河	1 121	1 121.0	1 053.7	1 121.0	0.8	1.0	0.8	−6.0
无定河	30 217	13 304.2	5 326.0	11 855.2	9.0	5.1	8.9	−60.0
清涧河	3 468	3 468.0	3 468.0	3 468.0	2.4	3.3	2.6	0
延河	5 891	5 499.6	3 644.9	5 275.0	3.7	3.5	4.0	−33.7
汾川河	1 662	394.9	394.9	394.9	0.3	0.4	0.3	0
仕望川	2 141	0	0	0	0	0	0	/
浑河	5 461	2 055.0	0	0	1.4	0	0	−100.0
偏关河	1 915	1 915.0	1 915.0	1 915.0	1.3	1.8	1.4	0
县川河	1 562	1 562.0	1 562.0	1 562.0	1.1	1.5	1.2	0
朱家川	2 881	0	0	0	0	0	0	/
岚漪河	2 159	0	0	0	0	0	0	/
蔚汾河	1 476	782.3	782.3	782.3	0.5	0.7	0.6	0
湫水河	1 873	1 517.1	1 517.1	1 517.1	1.0	1.4	1.1	0
三川河	4 102	2 079.5	1 944.7	2 079.5	1.4	1.9	1.6	−6.5
屈产河	1 023	879.8	879.8	879.8	0.6	0.8	0.7	0
昕水河	3 992	2 554.9	399.2	2 554.9	1.7	0.4	1.9	−84.4
州川河	436	436.0	436.0	436.0	0.3	0.4	0.3	0
汾河	38 728	6 661.2	1 630.5	2 516.8	4.5	1.6	1.9	−75.5
北洛河	25 154	7 069.3	5 681.8	6 070.4	4.8	5.4	4.6	−19.6
泾河	45 373	28 049.0	23 385.2	29 495.2	19.0	22.3	22.2	−16.6
渭河	46 827	20 871.3	16 387.0	16 387.0	14.2	15.6	12.4	−21.5
全区	310 104	147 309.5	104 906.2	132 681.5	100.0	100.0	100.0	−28.8

注:治理前后变化=(治理期面积−治理前面积)/治理前面积×100%。

二、侵蚀强度的结构特征

表 2-9 列出了各支流四种侵蚀强度的面积结构情况(1955～1989 年),由表中结果可以看出:

表 2-9 　　　　　　　　主要支流不同侵蚀强度的面积(1955～1989 年)

流域	流域面积 (km²)	不同侵蚀强度的面积(km²)				占该流域总面积的比例(%)			
		<2 500	2 500～5 000	5 000～10 000	>10 000	<2 500	2 500～5 000	5 000～10 000	>10 000
祖厉河	10 647	103.5	5 572.2	4 971.3	0.0	1.0	52.3	46.7	0
清水河	14 480	9 742.4	4 737.6	0	0.0	67.3	32.7	0	0
黄甫川	3 199	147.8	0	0	3 051.2	4.6	0	0	95.4
清水川	735	0	0	0	735.0	0	0	0	100.0
孤山川	1 263	0	0	0	1 263.0	0	0	0	100.0
窟野河	8 645	38.6	0	4 362.1	4 244.3	0.4	0	50.5	49.1
秃尾河	3 253	670.4	0	1 609.9	972.7	20.6	0	49.5	29.9
佳芦河	1 121	0	0	67.3	1 053.7	0	0	6.0	94.0
无定河	30 217	14 177.4	4 184.4	6 529.2	5 326.0	46.9	13.8	21.6	17.6
清涧河	3 468	0	0	0	3 468.0	0	0	0	100.0
延河	5 891	391.4	224.6	2 580.3	2 694.7	6.6	3.8	43.8	45.7
汾川河	1 662	1 267.1	0	394.9	0	76.2	0	23.8	0
仕望川	2 141	2 141.0	0	0	0	100.0	0	0	0
浑河	5 461	3 406.0	0	2 055.0	0	62.4	0	37.6	0
偏关河	1 915	0	0	1 915.0	0	0	0	100.0	0
县川河	1 562	0	0	1 562.0	0	0	0	100.0	0
朱家川	2 881	2 881.0	0	0	0	100.0	0	0	0
岚漪河	2 159	1 384.8	0	0	774.2	64.1	0	0	35.9
蔚汾河	1 476	693.7	0	0	782.3	47.0	0	0	53.0
湫水河	1 873	355.9	0	0	1 517.1	19.0	0	0	81.0
三川河	4 102	2 022.5	0	134.8	1 944.7	49.3	0	3.3	47.4
屈产河	1 023	143.2	0	0	879.8	14.0	0	0	86.0
昕水河	3 992	1 437.1	0	2 155.7	399.2	36.0	0	54.0	10.0
州川河	436	0	0	335.7	100.3	0	0	77.0	23.0
汾河	38 728	30 087.8	6 123.4	2 424.6	92.2	77.7	15.8	6.3	0.2
北洛河	25 154	16 851.1	2 232.5	2 853.8	3 216.6	67.0	8.9	11.3	12.8
泾河	45 373	8 867.8	7 010.0	21 587.4	7 907.8	19.5	15.4	47.6	17.4
渭河	46 827	23 429.5	8 927.1	12 974.0	1 495.5	50.0	19.1	27.7	3.2
全区	310 104	134 520.6	42 901.9	75 655.1	57 026.4	43.4	13.8	24.4	18.4

（1）在四种侵蚀强度分级的面积结构比例中，清水川、孤山川、清涧河、偏关河、县川河、朱家川等6条流域侵蚀强度面积结构比较单一，清水川、孤山川和清涧河的侵蚀强度都在 10 000t/(km² · a) 以上，偏关河和县川河在 5 000～10 000t/(km² · a) 之间，朱家川在 2 500t/(km² · a) 以下。

（2）由两种强度面积构成的有清水河、黄甫川、窟野河、佳芦河、汾川河、浑河、岚漪河、蔚汾河、湫水河、屈产河、州川河、祖厉河等12条支流，其中岚漪河、蔚汾河、湫水河、屈产河、黄甫川等5条支流分别由侵蚀强度小于 2 500t/(km² · a) 和大于 10 000t/(km² · a) 的两种差异很大的侵蚀强度组成，一般以大于 10 000t/(km² · a) 的面积为主体；清水河、窟野河、佳芦河、州川河、祖厉河等5条支流由相邻两种侵蚀强度组成；汾川河、浑河这2条支流由间隔的两种侵蚀强度组成。

（3）由三种侵蚀强度面积构成的有秃尾河、三川河、昕水河等3条支流；由四种侵蚀强度面积构成的有无定河、延河、汾河、北洛河、泾河和渭河等6条支流。这些支流虽然各种强度面积都占有一定的比例，但每一个支流都有其强度的主体面积，例如，无定河近50%的面积侵蚀强度小于 2 500t/(km² · a)，延河 5 000～10 000t/(km² · a) 和大于 10 000t/(km² · a) 的两种强度量级的面积就占了近90%，汾河、北洛河近70%的面积侵蚀强度小于 2 500t/(km² · a)。

（4）各支流侵蚀强度的面积结构特征主要影响因素有以下几个方面：一是流域面积的大小。一般流域面积比较大的支流，侵蚀类型多样，侵蚀强度也包含了多个量级；流域面积小的支流，侵蚀类型和侵蚀强度相对单一。二是地域性的影响。一般在同一侵蚀区域相邻几条支流侵蚀强度结构特征基本一致，例如黄甫川、清水川、孤山川、窟野河、佳芦河等5条支流，偏关河和县川河等2条支流，以及岚漪河、蔚汾河、湫水河、屈产河等4条支流。三是受水文站网密度的影响。有些流域虽然侵蚀类型多样，但由于水文站网布设密度不够，使其产沙单元的划分较粗，难以比较准确地反映出侵蚀强度的差异性。

三、主要产沙区与产沙中心

表2-10和表2-11列出了各流域的主要产沙区和产沙中心，图2-8和图2-9分别为各流域主要产沙区和产沙中心的空间分布。

黄甫川流域除上游东北部风沙区外（面积仅有 150km²），大部分地区的侵蚀强度都大于 10 000t/(km² · a)。产沙中心位于沙圪堵以上的黄土平岗丘陵沟壑区，面积 635.0km²（占流域总面积的19.8%），侵蚀强度 28 638.6t/(km² · a)，为流域平均侵蚀强度的1.7倍，占流域总产沙量的33%。

岚漪河流域主要侵蚀产沙区在土石山区以外的下游黄土峁状丘陵沟壑区和上游北部部分地区，面积 1 036.0km²。产沙中心位于下游黄土峁状丘陵沟壑区，面积 774.2km²（占流域总面积的35.9%），侵蚀强度 12 849.4t/(km² · a)，为流域平均侵蚀强度的2.0倍，占流域总产沙量的71.8%。

窟野河流域主要侵蚀产沙区包括了除神木以上部分风沙草原区以外的大部分地区，面积 7 776.2km²。产沙中心位于神木至温家川之间的黄土峁状丘陵沟壑区，面积 1 212.3km²（占流域总面积的14.0%），侵蚀强度 34 447.3t/(km² · a)，为流域平均侵蚀强度的2.7倍,占流域总产沙量的37.8%。

表2-10 各支流的主要产沙区

流域	主要产沙区范围	侵蚀产沙特征			占流域的比例		
		面积 (km²)	侵蚀强度 〔t/(km²·a)〕	产沙量 (万t)	面积 (%)	侵蚀强度	产沙量 (%)
黄甫川	1 除上游东北部风沙区以外的大部分地区	3 051.2	18 062.2	5 511.1	95.4	1.0	100.0
岚漪河	2 下游黄土峁状丘陵沟壑区和上游北部地区	1 036.0	9 894.1	1 025.0	48.0	1.5	73.9
窟野河	3 除神木以上部分风沙草原区以外的大部地区	7 776.2	13 393.8	10 415.3	90.0	1.0	94.3
秃尾河	4 高家川至高家堡间的峁状丘陵沟壑区	1 158.0	10 909.5	1 263.3	35.6	1.6	57.7
三川河	5 除土石山区以外的黄土峁状丘陵和残塬沟壑区	2 079.5	10 804.5	2 246.8	50.7	2.0	99.9
无定河	6 赵石窑以下的大部黄土峁状丘陵沟壑区	10 316.8	11 191.3	11 545.9	34.1	2.4	80.8
昕水河	7 中下游丘陵和残塬沟壑区	2 554.9	7 488.8	1 913.3	64.0	1.6	99.9
延河	8 甘谷驿以上的大部黄土峁状丘陵沟壑区	5 275.0	9 144.9	4 824.0	89.5	1.1	97.6
汾川河	9 临镇至新市河间的黄土峁状丘陵沟壑区	394.9	6 296.2	248.6	23.8	3.2	75.6
汾河	10 太原以上的黄土山麓丘陵沟壑区	6 192.6	5 251.7	3 252.2	16.0	3.7	58.7
	11 义棠至石滩区间的黄土山麓丘陵沟壑区	1 750.3	4 735.8	828.9	4.5	3.3	15.0
渭河	12 南河川及天水以上的丘陵沟壑区	22 613.2	6 384.1	14 436.6	48.3	1.4	68.0
泾河	13 庆阳以上的大部分地区	10 168.6	8 203.8	8 342.1	22.4	1.4	30.7
	14 杨家坪以上的部分地区	6 023.3	9 251.0	5 572.0	13.3	1.5	20.5
北洛河	15 刘家河以上的干旱黄土丘陵沟壑区	7 069.3	10 711.7	7 572.4	28.1	3.2	89.0
祖厉河	16 郭城驿以上的干旱黄土丘陵沟壑区和中下游残塬沟壑区	4 971.3	6 386.3	3 174.8	46.7	1.2	56.3
清水河	17 韩府湾以上的干旱黄土丘陵沟壑区	4 737.6	3 259.2	1 544.1	32.7	1.9	63.2

秃尾河流域主要产沙区位于高家川至高家堡区间的下游峁状和风沙丘陵沟壑区,面积1 158.0km²。产沙中心位于下游黄土峁状丘陵沟壑区,面积972.7km²,占流域总面积的29.9%,侵蚀强度11 678.2t/(km²·a),为流域平均侵蚀强度的1.7倍,占流域总产沙量的51.9%。

三川河流域主要产沙区包括了除土石山区以外的全区峁状丘陵和残塬沟壑区,面积2 079.5km²。产沙中心位于中下游峁状丘陵沟壑区,面积1 944.7km²,占流域总面积的47.4%,侵蚀强度11 071.8t/(km²·a),为流域平均侵蚀强度的2.0倍,占流域总产沙量的95.7%。

无定河流域主要产沙区包括了除中上游赵石窑以上的风沙草原和风沙黄土丘陵以外的大部黄土峁状丘陵沟壑区,面积10 316.8km²。产沙中心位于下游黄土峁状丘陵沟壑区,面积5 326.0km²,占流域总面积的17.6%,侵蚀强度13 574.2t/(km²·a),为流域平均侵蚀强度的2.9倍,占流域总产沙量的50.6%。

昕水河流域主要产沙区包括除土石山区以外的中下游丘陵和残塬沟壑区,面积2 554.9km²。产沙中心有两个:一个位于上游黄土峁状丘陵沟壑区,面积159.7km²;另一个位于下游残塬沟壑区,面积239.57km²,两个产沙中心占流域总面积的10.0%,侵蚀强度11 000t/(km²·a)左右,为流域平均侵蚀强度的2.3倍,占流域总产沙量的23.3%。

表 2-11　　　　　　　　　　　　　　　各支流的产沙中心

流域	产沙中心				占流域的比例		
	序号	面积 (km^2)	侵蚀强度 $[t/(km^2 \cdot a)]$	产沙量 （万 t）	面积 （%）	侵蚀强度 （倍数）	产沙量 （%）
黄甫川	1	635.0	28 638.6	1 818.6	19.8	1.7	33.0
岚漪河	2	774.2	12 849.4	994.8	35.9	2.0	71.8
窟野河	3	1 212.3	34 447.3	4 176.0	14.0	2.7	37.8
秃尾河	4	972.7	11 678.2	1 135.9	29.9	1.7	51.9
三川河	5	1 944.7	11 071.8	2 153.1	47.4	2.0	95.7
无定河	6	5 326.0	13 574.2	7 229.0	17.6	2.9	50.6
昕水河	7	159.7	10 335.6	165.1	4.0	2.2	8.6
	8	239.5	11 754.0	281.5	6.0	2.4	14.7
延河	9	2 983.4	11 397.6	3 400.4	50.6	1.4	68.8
汾川河	10	394.9	6 296.2	248.6	23.8	3.2	75.6
汾河	11	92.2	11 966.8	110.3	0.2	8.4	2.0
	12	886.3	7 697.5	682.2	2.3	5.4	12.3
	13	558.6	8 130.6	454.2	1.4	5.7	8.2
	14	979.7	6 844.3	670.5	2.5	4.8	12.1
渭河	15	10 248.0	8 696.4	8 912.0	21.9	1.9	42.0
	16	793.3	8 557.4	678.9	1.7	1.9	3.2
	17	784.3	8 373.2	656.7	1.7	1.9	3.1
	18	833.0	7 913.3	659.2	1.8	1.7	3.1
泾河	19	2 784.0	11 668.6	3 248.5	6.1	1.9	11.9
	20	1 072.7	11 537.4	1 237.6	2.4	1.9	4.5
	21	4 116.5	11 819.7	4 865.6	9.1	2.0	17.9
北洛河	22	3 216.6	15 797.2	5 081.3	12.8	4.7	59.7
祖厉河	23	2 708.2	6 930.0	1 876.6	25.4	1.3	33.3
清水河	24	4 737.6	3 259.2	1 544.1	32.7	1.9	63.2

延河流域主要产沙区包括了除森林黄土丘陵和风沙丘陵以外的大部黄土峁状丘陵沟壑区,面积 5 275.0km²。产沙中心位于延安以上的黄土梁状和峁状丘陵沟壑区,面积 2 983.4km²,占流域总面积的 50.6%,侵蚀强度 11 397.6t/(km²·a),为流域平均侵蚀强度的 1.4 倍,占流域总产沙量的 68.8%。

汾川河流域主要产沙区和产沙中心位于新市河至临镇区间的黄土峁状丘陵沟壑区,面积 394.9km²,占流域总面积的 23.8%,侵蚀强度 6 296.2t/(km²·a),为流域平均侵蚀强度的 3.2 倍,占流域总产沙量的 75.6%。

汾河流域主要产沙区有两个:一个位于太原以上的黄土山麓丘陵沟壑区,面积 6 192.6km²,另一个位于义棠至石滩之间的黄土山麓丘陵沟壑区,面积 1 750.3km²。产沙中心有 4 个:第 1 个位于静乐以上的黄土山麓丘陵沟壑区,面积 979.7km²,占流域总面积的 2.5%,侵蚀强度 6 844.3t/(km²·a),为流域平均侵蚀强度的 4.8 倍,占流域总产沙量的 12.1%;第 2 个位于上静游以上的黄土山麓丘陵沟壑区,面积 558.6km²,占流域总面积的 1.4%,侵蚀强度 8 130.6t/(km²·a),为流域平均侵蚀强度的 5.7 倍,占流域总产

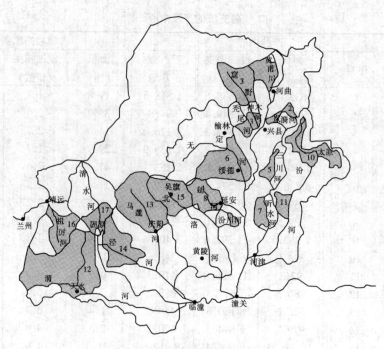

图 2-8　各支流主要产沙区分布图

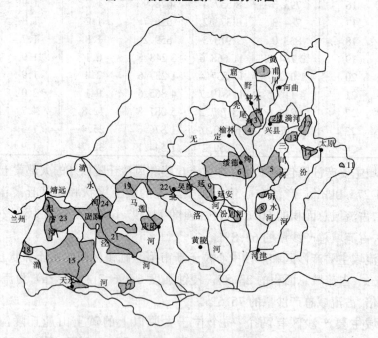

图 2-9　各支流的产沙中心

沙量的 8.2%;第 3 个位于独堆以上的黄土山麓丘陵沟壑区,面积 92.2km²,占流域总面积的 0.2%,侵蚀强度 11 966.8t/(km²·a),为流域平均侵蚀强度的 8.4 倍,占流域总产沙量的 2.0%;第 4 个位于兰村至汾河水库之间的黄土山麓丘陵沟壑区,面积 886.3km²,占流域总面积的 2.3%,侵蚀强度 7 697.5t/(km²·a),为流域平均侵蚀强度的 5.4 倍,占流域总产沙量的12.3%。

渭河流域主要产沙区位于上游南河川及天水以上的黄土丘陵沟壑区,面积22 613.2km²。产沙中心有4个:第1个是首阳以上的干旱黄土丘陵沟壑区,面积833.0km²,占流域总面积的1.8%,侵蚀强度7 913.3t/(km²·a),为流域平均侵蚀强度的1.7倍,占流域总产沙量的3.1%;第2个位于南河川以上的干旱黄土丘陵沟壑区,面积10 248.0km²,占流域总面积的21.9%,侵蚀强度8 696.4t/(km²·a),为流域平均侵蚀强度的1.9倍,占流域总产沙量的42.0%;第3个位于社棠天水以南的黄土山麓丘陵沟壑区,面积793.3km²,占流域总面积的1.7%,侵蚀强度8 557.4t/(km²·a),为流域平均侵蚀强度的1.9倍,占流域总产沙量的3.2%;第4个位于林家村附近的黄土梁状丘陵沟壑区,面积784.3km²,占流域总面积的1.7%,侵蚀强度8 373.2t/(km²·a),为流域平均侵蚀强度的1.8倍,占流域总产沙量的3.1%。

泾河流域的主要产沙区有2个:一个位于庆阳以上的大部分地区,面积10 168.6km²;另一个位于杨家坪以上的部分地区,面积6 023.3km²。产沙中心有3个:第1个是洪德以上的干旱黄土丘陵沟壑区,面积2 784.0km²,占流域总面积的6.1%,侵蚀强度11 668.6t/(km²·a),为流域平均侵蚀强度的1.9倍,占流域总产沙量的11.9%;第2个位于庆阳邻近的黄土高塬沟壑区,面积1 072.7km²,占流域总面积的2.4%,侵蚀强度11 537.4t/(km²·a),为流域平均侵蚀强度的1.9倍,占流域总产沙量的4.5%;第3个位于杨家坪以上的大部分丘陵沟壑和高塬沟壑区,面积4 116.5km²,占流域总面积的9.1%,侵蚀强度11 819.7t/(km²·a),为流域平均侵蚀强度的2.0倍,占流域总产沙量的17.9%。

北洛河流域的主要产沙区位于刘家河以上的干旱黄土丘陵沟壑区,面积7 069.3km²。产沙中心位于吴旗、志丹以上的干旱黄土丘陵沟壑区,面积3 216.6km²,占流域总面积的12.8%,侵蚀强度15 797.2t/(km²·a),为流域平均侵蚀强度的4.7倍,占流域总产沙量的59.7%。

祖厉河流域的主要产沙区位于郭城驿以上的干旱黄土丘陵沟壑区和中下游黄土残塬沟壑区,面积4 971.3km²。产沙中心位于郭城驿至会宁之间的干旱黄土丘陵沟壑区,面积2 708.2km²,占流域总面积的25.4%,侵蚀强度6 930.0t/(km²·a),为流域平均侵蚀强度的1.3倍,占流域总产沙量的33.3%。

清水河流域的主要产沙区和产沙中心位于韩府湾以上的干旱黄土丘陵沟壑区,面积4 737.6km²,占流域总面积的32.7%,侵蚀强度3 259.2t/(km²·a),为流域平均侵蚀强度的1.9倍,占流域总产沙量的63.2%。

第四节　不同类型区的侵蚀产沙特征

一、侵蚀类型区的划分

根据蔡志恒[1]对黄河流域划分的6个一级类型区和20个二级类型区,本研究区包括的6个一级类型区和15个二级类型区,见表2-12和图2-10。各侵蚀类型区的基本情况如下：

表 2-12　　　　　　　　　　　　　　　黄土高原的侵蚀类型区

序号	一级类型区	二级类型区	面积（km²）	占研究区的比例（%）
1	丘陵沟壑区	I₁ 黄土平岗丘陵沟壑区	16 225.5	5.2
		I₂ 黄土峁状丘陵沟壑区	38 161.2	12.3
		I₃ 黄土梁状丘陵沟壑区	25 240.2	8.2
		I₄ 黄土山麓丘陵沟壑区	19 295.4	6.2
		I₅ 干旱黄土丘陵沟壑区	53 026.4	17.2
		I₆ 风沙黄土丘陵沟壑区	16 271.5	5.2
		I₇ 森林黄土丘陵沟壑区	15 528.0	5.0
2	台塬沟壑区	II₁ 黄土高塬沟壑区	23 082.6	7.4
		II₂ 黄土残塬沟壑区	5 427.7	1.8
		II₃ 黄土阶地区	11 114.8	3.6
3	冲积平原区	III₁ 冲积平原区	16 235.2	5.2
4	高地草原区	IV₃ 风沙草原区	23 024.1	7.4
5	土石山区	V₁ 极高原石质山区	2 844.3	0.9
		V₂ 高原土石山区	42 861.8	13.8
6	沙漠区	VI₀ 库布齐沙漠区	1 765.3	0.6
合计			310 104.0	100.0

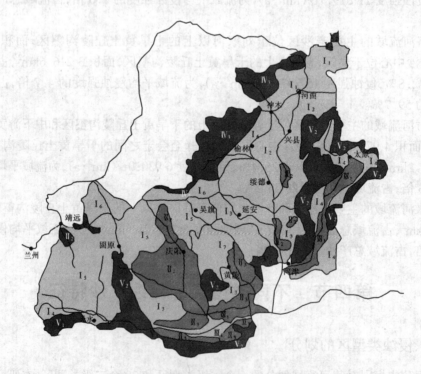

图 2-10　黄土高原侵蚀类型区分布图

各侵蚀类型区的基本情况如下：

I_1 黄土平岗丘陵沟壑区：面积 16 225.5km²，分布于陕、晋、蒙三省(区)交界处，岗丘平缓，河谷宽浅，地面为沙黄土所覆盖。

I_2 黄土峁状丘陵沟壑区：面积 38 161.2km²，分布于陕北、晋西的黄河两侧，以峁状丘陵为主，沟深坡陡，地面支离破碎。

I_3 黄土梁状丘陵沟壑区：面积 25 240.2km²，主要分布于延河、昕水河流域，以及六盘山东侧和铜川以南，梁短坡长，沟深谷窄。

I_4 黄土山麓丘陵沟壑区：面积 19 295.4km²，主要分布于西秦岭北坡、吕梁山东坡、太行山西坡和太岳山、熊耳山、崤山山麓，冲积锥、冲积扇发育，有些地方已经连结成冲积裙。

I_5 干旱黄土丘陵沟壑区：面积 53 026.4km²，是研究区内面积分布最大的侵蚀类型区，其面积占研究区的 17.1%。主要分布于六盘山以西，年降水量分配不均，植被稀疏，水资源贫乏，干旱是本区的主要威胁。

I_6 风沙黄土丘陵沟壑区：面积 16 271.5km²，主要分布于长城沿线，基本地貌是黄土丘陵，间有小块残塬。由于北临沙漠，地表常为流沙覆盖。

I_7 森林黄土丘陵沟壑区：面积 15 528.0km²，分布于子午岭和黄龙山一带，基本地貌是黄土梁状丘陵，有大批次生林成长，已成林区。

II_1 黄土高塬沟壑区：面积 23 082.6km²，分布在陇东、陕北和晋西南，塬面面积一般占总面积的 25% 以上。人口密度每平方公里 120 人，耕垦指数 14%～50%。

II_2 黄土残塬沟壑区：面积 5 427.7km²，零星分布于祖厉河下游、泾河支流马莲河上游和黄河北干流两岸，以及晋西南等地。塬面较小，多在总面积的 25% 以下。人口密度每平方公里 40 多人，耕垦指数 6%～16%。

II_3 黄土阶地区：面积 11 114.8km²，呈阶梯状广泛分布在汾渭盆地的两侧，地面平坦，土层深厚，土壤肥沃，是良好的农耕基地。人口密度每平方公里 354 人，耕垦指数 34%～76%。

III_1 冲积平原区：面积 16 235.2km²，主要分布在内蒙古河套平原和汾渭盆地，地面平坦，土层深厚，土壤肥沃，灌溉引水方便，是上好的农业区。由于黄河泥沙淤垫，地面处于微淤积状态，局部地区有轻微侵蚀。人口密度每平方公里 335 人，耕垦指数 44%～54%。

IV_3 风沙草原区：面积 23 024.1km²，位于鄂尔多斯高原，多为固定和半固定沙丘，水蚀轻微，风蚀强烈。人口密度每平方公里 25 人左右，耕垦指数 5% 左右。

V_1 极高原石质山区：面积 2 844.3km²，只占研究区总面积的 0.9%，在渭河流域上游南部有分布，植被较好，土壤侵蚀轻微，侵蚀强度在 1 000t/(km²·a) 以下。

V_2 高原土石山区：面积 42 861.8km²，广泛分布于黄土高原，占研究区总面积的 13.8%。气候寒冷阴湿，植被较好，土壤侵蚀较轻。因开垦种植，局部地区水土流失严重。

VI_0 库布齐沙漠区：面积 1 765.3km²，只有库布齐沙漠的东部边缘位于研究区域，面积占研究区的 0.6%。气候干燥，蒸发强烈，风蚀十分严重，水蚀轻微。

二、主要类型区的侵蚀强度

表 2-13、表 2-14 与表 2-15 是 12 个主要类型区 1959～1969 年、1970～1989 年和 1959

~1989 年 3 个不同时段的年平均侵蚀强度和产沙量的统计计算结果。从上述表中可以看出：

表 2-13　　　　　　　　　　　主要类型区的年均侵蚀强度

类型区	面积 （km²）	侵蚀强度〔t/(km²·a)〕			类型区侵蚀强度/全区侵蚀强度			治理期/ 治理前
		治理前 (1955～ 1969 年)	治理期 (1970～ 1989 年)	平均 (1955～ 1989 年)	治理前 (1955～ 1969 年)	治理期 (1970～ 1989 年)	平均 (1955～ 1989 年)	
黄土平岗丘陵沟壑区	16 225.5	10 746.5	8 335.5	9 368.8	1.71	2.12	1.90	0.78
黄土峁状丘陵沟壑区	38 161.2	15 147.8	7 907.1	11 083.8	2.40	2.01	2.25	0.52
黄土梁状丘陵沟壑区	25 240.2	8 552.1	4 991.2	6 745.4	1.36	1.27	1.37	0.58
黄土山麓丘陵沟壑区	19 295.4	5 790.0	2 758.2	4 057.5	0.92	0.70	0.82	0.48
干旱黄土丘陵沟壑区	53 026.4	8 275.7	5 588.6	6 741.2	1.31	1.42	1.37	0.68
风沙黄土丘陵沟壑区	16 271.5	4 590.8	2 793.7	3 563.9	0.73	0.71	0.72	0.61
森林黄土丘陵沟壑区	15 528.0	344.4	252.1	291.6	0.05	0.06	0.06	0.73
黄土高塬沟壑区	23 082.6	6 655.7	4 958.9	5 686.6	1.06	1.26	1.15	0.75
黄土残塬沟壑区	5 427.7	12 170.9	6 435.5	9 375.5	1.93	1.64	1.90	0.53
黄土阶地区	11 114.8	2 790.3	1 493.2	2 049.7	0.44	0.38	0.42	0.54
风沙草原区	23 024.1	2 875.7	2 741.0	2 798.7	0.46	0.70	0.57	0.95
高原土石山区	42 861.8	404.0	266.2	325.3	0.06	0.07	0.07	0.66
全区	310 104.0	6 302.1	3 928.4	4 982.0	1.00	1.00	1.00	0.62

表 2-14　　　　　　　　　　　　主要类型区的产沙量

类型区	面积 （km²）	产沙量(万 t)			占全区总产沙量的比例（%）			治理前后 变化（%）
		治理前 (1955～ 1969 年)	治理期 (1970～ 1989 年)	平均 (1955～ 1989 年)	治理前 (1955～ 1969 年)	治理期 (1970～ 1989 年)	平均 (1955～ 1989 年)	
黄土平岗丘陵沟壑区	16 225.5	17 436.7	13 524.8	15 201.3	8.9	11.1	9.8	-22.4
黄土峁状丘陵沟壑区	38 161.2	57 805.8	30 174.4	42 297.1	29.6	24.8	27.4	-47.8
黄土梁状丘陵沟壑区	25 240.2	21 585.7	12 597.9	17 025.5	11.0	10.3	11.0	-41.6
黄土山麓丘陵沟壑区	19 295.4	11 172.0	5 322.1	7 829.1	5.7	4.4	5.1	-52.4
干旱黄土丘陵沟壑区	53 026.4	43 883.1	29 634.3	35 746.2	22.5	24.3	23.1	-32.5
风沙黄土丘陵沟壑区	16 271.5	7 469.9	4 545.8	5 799.0	3.8	3.7	3.8	-39.1
森林黄土丘陵沟壑区	15 528.0	534.8	391.5	452.8	0.3	0.3	0.3	-26.8
黄土高塬沟壑区	23 082.6	15 363.1	11 446.4	13 126.2	7.9	9.4	8.5	-25.5
黄土残塬沟壑区	5 427.7	6 606.0	3 493.0	5 088.7	3.4	2.9	3.3	-47.1
黄土阶地区	11 114.8	3 101.4	1 659.7	2 278.2	1.6	1.4	1.5	-46.5
风沙草原区	23 024.1	6 621.0	6 310.9	6 443.8	3.4	5.2	4.2	-4.7
高原土石山区	42 861.8	1 731.6	1 141.0	1 394.3	0.9	0.9	0.9	-34.1
全区	310 104.0	195 430.6	121 821.3	154 493.8	100.0	100.0	100.0	-37.7

注: 治理前后变化＝(治理期产沙量－治理前产沙量)/治理前产沙量×100%。

表 2-15　　　　　　　　　　主要类型区侵蚀强度≥5 000t/(km²·a)的面积变化

类型区	总面积(km²)	面积(km²)			占全区同类面积的比例(%)			治理前后变化(%)
		治理前(1955~1969年)	治理期(1970~1989年)	平均(1955~1989年)	治理前(1955~1969年)	治理期(1970~1989年)	平均(1955~1989年)	
黄土平岗丘陵沟壑区	16 225.5	13 091.9	11 036.9	11 036.9	8.9	10.5	8.3	-15.7
黄土峁状丘陵沟壑区	38 161.2	35 220.1	23 825.1	35 220.1	23.9	22.7	26.5	-32.4
黄土梁状丘陵沟壑区	25 240.2	16 346.5	12 560.7	16 346.5	11.1	12.0	12.3	-23.2
黄土山麓丘陵沟壑区	19 295.4	11 235.3	4 235.6	5 121.9	7.6	4.0	3.9	-62.3
干旱黄土丘陵沟壑区	53 026.4	35 245.2	30 015.0	31 313.0	23.9	28.6	23.6	-14.8
风沙黄土丘陵沟壑区	16 271.5	7 809.1	629.1	5 136.6	5.3	0.6	3.9	-91.9
森林黄土丘陵沟壑区	15 528.0	0	0	0	0	0	0	0
黄土高塬沟壑区	23 082.6	14 661.0	12 541.2	15 952.6	10.0	12.0	12.0	-14.5
黄土残塬沟壑区	5 427.7	5 427.7	2 936.4	5 427.7	3.7	2.8	4.1	-45.9
黄土阶地区	11 114.8	1 698.5	552.0	552.0	1.2	0.5	0.4	-67.5
风沙草原区	23 024.1	6 574.2	6 574.2	6 574.2	4.5	6.3	5.0	0
高原土石山区	42 861.8	0	0	0	0	0	0	0
全区	310 104.0	147 309.5	104 906.2	132 681.5	100.0	100.0	100.0	-28.8

注:治理前后变化=(治理期面积-治理前面积)/治理前面积×100%。

(1)根据 1955~1989 年的平均统计结果,可将 12 个侵蚀类型区的侵蚀强度分为 5 个量级:以黄土峁状丘陵沟壑区、黄土平岗丘陵沟壑区和黄土残塬沟壑区的侵蚀强度最大,分别达到或接近 10 000t/(km²·a);其次为黄土梁状丘陵沟壑区、干旱黄土丘陵沟壑区和黄土高塬沟壑区,侵蚀强度达到 6 000t/(km²·a)左右;黄土山麓丘陵沟壑区和风沙丘陵沟壑区接近 4 000t/(km²·a);黄土阶地区和风沙草原区在 2 500~3 000t/(km²·a)之间;森林黄土丘陵沟壑区和高原土石山区只有 300t/(km²·a)左右。

(2)从产沙量的统计结果看,以黄土峁状丘陵沟壑区和干旱黄土丘陵沟壑区的产沙量最大,分别占全区总产沙量的 27.4%和 23.1%,黄土高原 50%的产沙来自这两个地区;黄土梁状丘陵沟壑区、黄土平岗丘陵沟壑区和黄土高塬沟壑区分别占全区总产沙量的11.0%、9.8%和 8.5%,这 3 个地区的产沙量占到全区总产沙量的近 30%;黄土山麓丘陵沟壑区、风沙草原区、风沙黄土丘陵沟壑区和黄土残塬沟壑区占全区总产沙量的比例分别为 5.1%、4.2%、3.8%和 3.3%,这 4 个地区的产沙量占到全区总产沙量的近 17.0%;其余黄土阶地区、土石山区和森林黄土丘陵沟壑区占全区总产沙量的比例近 3.0%。

(3)根据不同类型区侵蚀强度≥5 000t/(km²·a)的面积的统计结果看(表 2-15),黄土峁状丘陵沟壑区和干旱黄土丘陵沟壑区≥5 000t/(km²·a)的面积最多,分别占全区的26.5%和 23.6%,这两个区占全区侵蚀强度≥5 000t/(km²·a)的面积的 50%;黄土梁状丘陵沟壑区、黄土高塬沟壑区和黄土平岗丘陵沟壑区分别占全区的 12.3%、12.0%和8.3%,这 3 个类型区占全区的近 33%;风沙草原区、黄土残塬沟壑区、风沙黄土丘陵沟壑区和黄土山麓丘陵沟壑区分别占全区的 5.0%、4.1%、3.9%和 3.9%。

(4)根据治理前后的统计结果,侵蚀强度变化比较大的分别为:黄土山麓丘陵沟壑区,由 5 790t/（km²·a）减少到 2 758.2t/（km²·a）；黄土峁状丘陵沟壑区，由 15 147.8 t/（km²·a）减少到 7 907.1t/（km²·a）；黄土残塬沟壑区，由 12 170.9t/（km²·a）减少到 6 435.5t/（km²·a）；黄土阶地区，由 2 790.3t/（km²·a）减少到 1 493.2t/（km²·a）；黄土梁状丘陵沟壑区，由 8 552.1t/（km²·a）减少到 4 991.2t/（km²·a）。变化不甚显著的有风沙草原区、黄土平岗丘陵沟壑区，以及黄土高塬沟壑区和森林黄土丘陵沟壑区。

三、主要类型区侵蚀强度的结构特征

表 2-16 是 4 种侵蚀强度量级的面积结构比例。可以看出：黄土平岗丘陵沟壑区以大于 10 000t/（km²·a）的面积为主体，占该类型区总面积的 53.9%；黄土峁状丘陵沟壑区和黄土残塬沟壑区以 5 000～10 000t/（km²·a）和大于 10 000t/（km²·a）两个量级的侵蚀面积为主体，分别占该类型区总面积的 92.3% 和 100%；黄土阶地和风沙草原以小于 2 500 t/（km²·a）的面积为主体，分别占总面积的 84.7% 和 71.4%；森林黄土丘陵沟壑区和高原土石山区侵蚀面积全部小于 2 500 t/（km²·a）；黄土山麓丘陵沟壑区以小于 2 500 t/（km²·a）和 2 500～5 000t/（km²·a）2 个量级为主体，占该类型总面积的 73.4%；黄土梁状丘陵沟壑区除侵蚀强度大于 10 000t/（km²·a）面积占 40.6% 外，侵蚀强度小于 2 500 t/（km²·a）和 5 000～10 000t/（km²·a）的面积也分别占到了 25.6% 和 24.1%；干旱黄土丘陵沟壑区和黄土高塬沟壑区均以侵蚀强度 2 500～5 000t/（km²·a）和 5 000～10 000 t/（km²·a）的面积为主体，分别占该区总面积的 74.4% 和 73.5%。

表 2-16　　　　　　　　　　主要类型区不同侵蚀强度的面积结构比例

类型区	总面积（km²）	不同侵蚀强度的面积（km²）				占类型区总面积的比例（%）			
		<2 500	2 500～5 000	5 000～10 000	>10 000	<2 500	2 500～5 000	5 000～10 000	>10 000
黄土平岗丘陵沟壑区	16 225.5	3 133.6	2 055.0	2 289.9	8 747.0	19.3	12.7	14.1	53.9
黄土峁状丘陵沟壑区	38 161.2	2 941.1	0	16 055.9	19 164.2	7.7	0	42.1	50.2
黄土梁状丘陵沟壑区	25 240.2	6 471.2	2 422.5	6 090.3	10 256.2	25.6	9.6	24.1	40.6
黄土山麓丘陵沟壑区	19 295.4	6 081.1	8 092.4	5 029.7	92.2	31.5	41.9	26.1	0.5
干旱黄土丘陵沟壑区	53 026.4	4 445.5	17 267.9	22 146.1	9 166.9	8.4	32.6	41.8	17.3
风沙黄土丘陵沟壑区	16 271.5	5 727.0	5 407.9	5 136.6	0	35.2	33.2	31.6	0
森林黄土丘陵沟壑区	15 528.0	15 528.0	0	0	0	100.0	0	0	0
黄土高塬沟壑区	23 082.6	3 835.2	6 509.7	12 799.6	3 153.0	14.6	24.8	48.7	12.0
黄土残塬沟壑区	5 427.7	0	0	2 575.1	2 852.6	0.0	0	47.4	52.6
黄土阶地区	11 114.8	9 416.3	1 146.5	0	552.0	84.7	10.3	0	5.0
风沙草原区	23 024.1	16 449.9	0	3 531.9	3 042.3	71.4	0	15.3	13.2
高原土石山区	42 861.8	42 861.8	0	0	0	100.0	0	0	0
全区	310 104.0	134 520.6	42 901.9	75 655.1	57 026.4	43.4	13.8	24.4	18.4

第五节　不同侵蚀带的侵蚀产沙特征

一、侵蚀带的划分

根据黄土高原土壤侵蚀方式及强度的地域分布特征,甘枝茂[2]将黄土高原土壤侵蚀方式的地带性分布自西北向东南分为四个侵蚀带(图2-11),分别为:

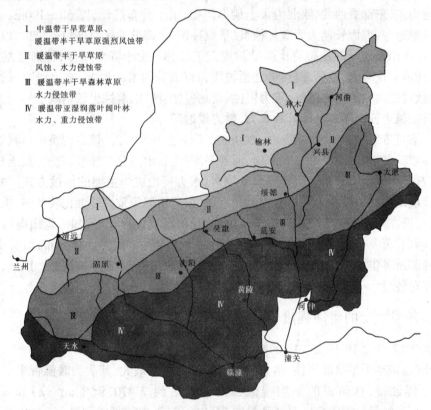

Ⅰ　中温带干旱荒漠草原、暖温带半干旱草原强烈风蚀带

Ⅱ　暖温带半干旱草原风蚀、水力侵蚀带

Ⅲ　暖温带半干旱森林草原水力侵蚀带

Ⅳ　暖温带亚湿润落叶阔叶林水力、重力侵蚀带

图 2-11　黄土高原侵蚀方式的地带性分布图

(一)中温带干旱荒漠草原、暖温带半干旱草原强烈风蚀带

大体处于靖远—同心—定边—榆林—准格尔旗—和林格尔以北,即黄土高原地区的西北部。年均降水量西部小于 300mm,东部基本上在 400mm,年蒸发量 2 000mm 以上,干燥度大于 2。除灌溉农业区外,基本上是干旱荒漠草原、半干旱草原景观,沙丘沙地分布广泛。全年多风,尤其春季多大风和沙暴,年均大风日数 10 天以上,临近的东胜等地年均大风日数达 50~60 天,强烈的风蚀成为塑造地面的主导营力。夏季降暴雨时,在土状堆积物覆盖的地面和易侵蚀岩分布区,有短暂的水力侵蚀,但范围不大。

(二)暖温带半干旱草原风蚀、水力侵蚀带

处于第Ⅰ带以南,永靖—定西—会宁—固原—环县—吴旗—绥德—临县—五寨—神池—朔州一线以北。年均降水量在西部小于 400mm,东部陕蒙晋一带 400~450mm,年蒸

发量1 600～2 000mm,干燥度1.5～2,年均大风日数5～10天。地面形态有黄土梁峁、宽谷地、黄土残塬、土石山地、缓坡丘陵等,临近风沙区有片沙覆盖。植被稀少,以干草原植被为主,绝大部分地面裸露。夏秋季多暴雨,水力侵蚀强烈;春季多大风,风蚀较强。此外,动物侵蚀也较明显。

(三)暖温带半干旱森林草原水力侵蚀带

处于第Ⅱ带以南,甘谷—隆德—镇原—庆阳—延安—永和—阳泉以北,年降水量400～500mm,干燥度1.5～1.2,地貌以黄土丘陵沟壑为主,西部陇中、宁南以梁状黄土丘陵或山地为主,东部晋西北、陕北为黄土梁峁沟壑,黄土分布广泛,厚50～100m。属于干旱森林草原地带,但因长期人为破坏植被、垦荒种田,大部分地区目前植被较少,以草原植被为主,仅在山地或局部丘陵有次生幼林或人工幼林。由于降水增多,特别是夏秋多暴雨,以及地面起伏较大,土质疏松,加之植被覆盖度低等因素的影响,水力侵蚀强烈,面状侵蚀、沟状侵蚀均较严重。此外,重力侵蚀、动物侵蚀、潜蚀、溶蚀也较活跃。

(四)暖温带亚湿润落叶阔叶林水力、重力侵蚀带

处于第Ⅲ带以南,年降水量500～800mm,干燥度小于1.2。该带内黄土台状地(黄土塬、黄土残塬、黄土台塬)及冲洪积平原、河谷平原、土石山地分布较广,此外,黄土丘陵、黄土山地、石质山地也有分布。因年降水量较多,水力侵蚀成为主要的侵蚀方式。同时,在黄土台状地的沟谷边坡和大河沿岸,崩塌、滑坡、岸边坍塌等重力侵蚀比较普遍,土石山地崩塌、泥石流在雨季也时有发生。但本带山地、丘陵植被保存较好,如六盘山南段、陇山、子午岭、崂山、黄龙山、吕梁山、秦岭、晋东南山地等都有一定的乔灌林分布;而黄土塬、黄土台塬塬面及各类平原,地面较平坦;丘陵沟壑区除农田外,多有草被覆盖。因此,本带土壤侵蚀相对较轻。

二、各侵蚀带的侵蚀强度

从表2-17、表2-18和表2-19的统计结果可以看出:

(1)暖温带半干旱草原风蚀、水力侵蚀带的侵蚀强度最大,其次为暖温带半干旱森林草原水力侵蚀带,这两带的平均侵蚀强度分别达到7 470.9t/(km²·a)和6 286.0t/(km²·a),产沙量分别占全区总产沙量的34.8%和32.6%,侵蚀强度≥5 000t/(km²·a)的面积分别占全区的31.4%和35.7%。

表2-17 不同侵蚀带的侵蚀强度

侵蚀带	面积(km²)	侵蚀强度[t/(km²·a)]			与全区平均侵蚀强度的比值			治理期/治理前(%)
		治理前(1955～1969年)	治理期(1970～1989年)	平均(1955～1989年)	治理前(1955～1969年)	治理期(1970～1989年)	平均(1955～1989年)	
Ⅰ	33 092.7	4 631.2	3 898.3	4 212.4	0.73	0.99	0.85	0.84
Ⅱ	71 887.7	9 751.2	5 760.7	7 470.9	1.55	1.47	1.52	0.59
Ⅲ	80 072.3	8 041.7	4 858.9	6 286.0	1.28	1.24	1.28	0.60
Ⅳ	125 051.4	3 647.7	2 287.2	2 920.0	0.58	0.58	0.59	0.63
全区	310 104.0	6 302.1	3 928.4	4 982.0	1.00	1.00	1.00	0.62

表 2-18　　　　　　　　　　　不同侵蚀带的产沙量

侵蚀带	面积 (km²)	产沙量(万t)			占全区总产沙量的比例(%)			治理前后 变化 (%)
		治理前 (1955~ 1969年)	治理期 (1970~ 1989年)	平均 (1955~ 1989年)	治理前 (1955~ 1969年)	治理期 (1970~ 1989年)	平均 (1955~ 1989年)	
Ⅰ	33 092.7	15 325.9	12 900.5	13 940.0	7.8	10.6	9.0	-15.8
Ⅱ	71 887.7	70 099.1	41 412.3	53 706.6	35.9	34.0	34.8	-40.9
Ⅲ	80 072.3	64 391.8	38 906.3	50 333.5	32.9	31.9	32.6	-39.6
Ⅳ	125 051.4	45 615.0	28 601.7	36 515.0	23.3	23.5	23.6	-37.3
全区	310 104.0	195 430.6	121 821.3	154 493.8	100.0	100.0	100.0	-37.7

注:治理前后变化=(治理期产沙量-治理前产沙量)/治理前产沙量×100%。

表 2-19　　　　　不同侵蚀带侵蚀强度≥5 000t/(km²·a)的面积变化

侵蚀带	总面积 (km²)	面积(km²)			占全区同类面积的比例(%)			治理前后 变化 (%)
		治理前 (1955~ 1969年)	治理期 (1970~ 1989年)	平均 (1955~ 1989年)	治理前 (1955~ 1969年)	治理期 (1970~ 1989年)	平均 (1955~ 1989年)	
Ⅰ	33 092.7	13 247.3	9 350.9	12 381.2	9.0	8.9	9.3	-29.4
Ⅱ	71 887.7	49 339.7	27 408.2	41 634.1	33.5	26.1	31.4	-44.5
Ⅲ	80 072.3	50 167.8	42 867.2	47 428.6	34.1	40.9	35.7	-14.6
Ⅳ	12 5051.4	34 554.0	25 280.0	29 791.5	23.5	24.1	22.5	-26.8
全区	310 104.0	147 309.5	104 906.2	132 681.5	100.0	100.0	100.0	-28.8

注:治理前后变化=(治理期面积-治理前面积)/治理前面积×100%。

(2)中温带干旱荒漠草原、暖温带半干旱草原强烈风蚀带和暖温带亚湿润落叶阔叶林水力、重力侵蚀带的侵蚀强度分别为 $4212.4t/(km^2 \cdot a)$ 和 $2920.0t/(km^2 \cdot a)$,由于暖温带亚湿润落叶阔叶林水力、重力侵蚀带的面积和重力侵蚀的影响,其产沙量和侵蚀强度≥ $5000t/(km^2 \cdot a)$ 的面积均明显超过中温带干旱荒漠草原、暖温带半干旱草原强烈风蚀带,产沙量分别占全区的 23.6% 和 9.0% ,侵蚀强度≥ $5000t/(km^2 \cdot a)$ 的面积分别占全区的 22.5% 和 9.3% 。

(3)从治理前后的对比变化看,暖温带半干旱草原风蚀、水力侵蚀带的变化最为明显,侵蚀强度减小了 41% ,侵蚀强度≥ $5000t/(km^2 \cdot a)$ 的面积减少了 44.5% 。

三、各侵蚀带侵蚀强度结构特征

从表 2-20 可以看出:中温带干旱荒漠草原、暖温带半干旱草原强烈风蚀带和暖温带亚湿润落叶阔叶林水力、重力侵蚀带以侵蚀强度< $2500t/(km^2 \cdot a)$ 的面积为主体,分别占各侵蚀带总面积的 55.4% 和 63.1% 。暖温带半干旱草原风蚀、水力侵蚀带和暖温带半干旱森林草原水力侵蚀带的侵蚀强度结构特征基本一致,侵蚀强度≥ $5000t/(km^2 \cdot a)$ 的面积分别占各侵蚀带总面积的 57.9% 和 59.3% 。

表 2-20各侵蚀带不同侵蚀强度的面积组成

侵蚀带	总面积 (km²)	不同侵蚀强度的面积(km²)				占各侵蚀带总面积的比例(%)			
		<2 500	2 500～5 000	5 000～10 000	>10 000	<2 500	2 500～5 000	5 000～10 000	>10 000
Ⅰ	33 092.7	18 325.7	2 385.8	7 191.3	5 189.9	55.4	7.2	21.7	15.7
Ⅱ	71 887.7	16 181.6	14 072.0	20 301.4	21 332.7	22.5	19.6	28.2	29.7
Ⅲ	80 072.3	21 139.5	11 504.3	26 718.9	20 709.6	26.4	14.4	33.4	25.9
Ⅳ	125 051.4	78 873.9	14 939.8	21 443.5	9 794.2	63.1	11.9	17.1	7.8
全区	310 104.0	134 520.6	42 901.9	75 655.1	57 026.4	43.4	13.8	24.4	18.4

第六节　黄土高原侵蚀产沙来源与产沙中心

一、侵蚀产沙来源

表 2-21 是按照不同流域、不同侵蚀类型区和不同侵蚀带分别计算的产沙量情况（1955～1989 年平均值），从统计结果可以看出：

表 2-21　　　　黄土高原侵蚀产沙的主要来源

流域(区段)			类型区			侵蚀带		
名称	产沙量 (万 t)	占总产沙比例 (%)	名称	产沙量 (万 t)	占总产沙比例 (%)	名称	产沙量 (万 t)	占总产沙比例 (%)
河龙区间	84 598.4	54.8	黄土平岗丘陵沟壑区	15 201.3	9.8	Ⅰ	13 939.9	9.0
泾河	27 209.7	17.6	黄土峁状丘陵沟壑区	42 250.7	27.4	Ⅱ	53 676.4	34.8
北洛河	8 507.6	5.5	黄土梁状丘陵沟壑区	17 025.5	11.0	Ⅲ	50 333.3	32.6
渭河	20 522.2	13.3	黄土山麓丘陵沟壑区	7 829.2	5.1	Ⅳ	36 514.8	23.6
汾河	5 543.8	3.6	干旱黄土丘陵沟壑区	35 746.3	23.1			
祖厉河	5 640.2	3.7	风沙黄土丘陵沟壑区	5 799.0	3.8			
清水河	2 442.5	1.6	森林黄土丘陵沟壑区	452.9	0.3			
			黄土高塬沟壑区	14 954.4	9.7			
			黄土残塬沟壑区	5 088.8	3.3			
			黄土阶地区	2 278.2	1.5			
			风沙草原区	6 443.8	4.2			
			高原土石山区	1 394.3	0.9			
总计	154 464.4	100.0	总计	154 464.4	100.0	总计	154 464.4	100.0

(1)按流域或区段计算,黄土高原的水土流失主要来自河龙区间,占全区总产沙量的54.8%;其次是泾河和渭河,分别占全区总产沙量的17.6%和13.3%。

(2)按不同侵蚀类型区计算,黄土高原的水土流失主要来自黄土峁状丘陵沟壑区和干旱黄土丘陵沟壑区,占全区总产沙量的50.5%;其次是黄土梁状丘陵沟壑区、黄土平岗丘陵沟壑区和黄土高塬沟壑区,分别占全区总产沙量的11.0%、9.8%和9.7%。

(3)按侵蚀带计算,暖温带半干旱草原风蚀、水力侵蚀带和暖温带半干旱森林草原水力侵蚀带是黄土高原的主要侵蚀产沙来源,占全区总产沙量的67.4%;其次,暖温带亚湿润落叶阔叶林水力、重力侵蚀带,占全区总产沙量的23.6%。

二、侵蚀产沙中心

以侵蚀强度>10 000t/(km²·a)作为标准,将黄土高原划分为 7 个产沙中心,如图2-12所示。各产沙中心的面积与侵蚀强度见表2-22。从总体情况看,黄土高原 7 个产沙中心面积为 48 028.5km²,仅占全区总面积的 15.5%,但其产沙量却占到全区总产沙量的42.2%。

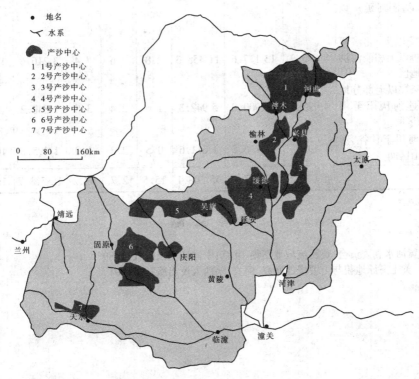

图 2-12　黄土高原的产沙中心分布图

7 个产沙中心面积最大的是第一中心,即黄甫川、孤山川、清水川及窟野河、黄河干流河曲以上的部分地区,面积为 13 707.6km²;最小的是第七中心,即渭河南河川至甘谷、秦安和武山区间,为 1 495.5km²。侵蚀强度最大的是第二中心,即窟野河、秃尾河下游和佳芦河的大部分地区,平均为 21 473.6t/(km²·a),核心区可达 34 447.3t/(km²·a);最小的是第七中心,即渭河南河川至甘谷、秦安和武山区间,为 10 776.5t/(km²·a)。

表 2-22   黄土高原的产沙中心

区间范围	侵蚀产沙状况			占全区的比例			核心区	
	面积 (km²)	侵蚀强度 [t/(km²·a)]	产沙量 (万 t)	面积 (%)	侵蚀强度 (倍数)	产沙量 (%)	面积 (km²)	侵蚀强度 [t/(km²·a)]
1 黄甫川、孤山川、清水川及窟野河、黄河干流河曲以上的部分地区	13 707.6	14 253.9	19 538.7	4.4	2.9	12.7	635.0	28 638.6
2 窟野河、秃尾河下游和佳芦河的大部分地区	3 238.7	21 473.6	6 954.7	1.0	4.3	4.5	1 212.3	34 447.3
3 黄河东岸岚漪河、蔚汾河、湫水河、三川河、屈产河和昕水河的部分地区	7 104.2	12 350.8	8 774.3	2.3	2.5	5.7	1 517.1	14 426.9
4 无定河白家川至丁家沟和绥德区间、大理河绥德至青阳岔、李家河区间,以及清涧河延川以上地区	8 794.0	12 426.9	10 928.2	2.8	2.5	7.1	2 902.0	14 850.5
5 延河延安以上、北洛河吴旗志丹以上和泾河洪德以上地区	8 695.3	13 177.6	11 458.3	2.8	2.6	7.4	3 216.6	15 797.2
6 泾河杨家坪以上部分地区及马莲河庆阳至洪德、悦乐区间	4 993.2	11 900.8	5 942.3	1.6	2.4	3.8	1 540.2	12 806.0
7 渭河南河川至甘谷、秦安和武山区间	1 495.5	10 776.5	1 611.6	0.5	2.2	1.0	1 495.5	10 776.5
合计	48 028.5	13 577.0	65 208.1	15.5	2.7	42.2	12 518.7	16 901.3

参 考 文 献

1 水利部黄河水利委员会.黄河流域地图集.北京:中国地图出版社,1989
2 甘枝茂.黄土高原地貌与土壤侵蚀研究.西安:陕西人民出版社,1990

第三章　水土保持措施的减沙效益

水土保持措施主要包括水平梯田、林、草、淤地坝等。决定水土保持措施减沙效益除了措施本身的数量和质量外,降雨因素的影响也是很重要的一个方面。因此,各项水土保持措施减沙效益的计算和评价必须将其置于不同的降雨条件下进行分析。

第一节　水平梯田的减沙效益

一、资料与方法

用山西离石王家沟 1957~1966 年、延安大砭沟 1959~1967 年、绥德王茂沟 1961~1964 年、绥德辛店沟和韭园沟 1959~1963 年水平梯田与坡耕地径流小区降雨侵蚀观测资料进行对比分析,水平梯田小区的情况见表 3-1。

根据水平梯田的质量分类,将山西离石王家沟 1960~1966 年的资料作为无埂水平梯田,其余作为水平梯田,选择 10°~25°的坡耕地作为对照,减沙效益采用相对指标来表示。

二、次降雨条件下水平梯田的减沙效益

要计算水平梯田的减沙效益,首先要确定坡耕地的侵蚀性降雨标准。由于"雨量"与"雨强"两因素是反映降雨对侵蚀影响的主要降雨特征指标,因此,采用降雨量(P)与最大 30min 雨强(I_{30})的乘积(PI_{30})作为侵蚀性降雨指标。考虑到黄土高原超渗产流的特点,决定其水土流失的主要降雨特征指标是降雨强度,特别是瞬时降雨强度。因此,在采用 PI_{30} 指标的同时,我们还考虑了 I_{30}。侵蚀性降雨标准的确定方法,是将所有的侵蚀性降雨资料,分别按 PI_{30} 和 I_{30} 由大到小排序,计算相应的侵蚀累积百分比(E_p),再点绘 PI_{30} 和 I_{30} 与侵蚀累积百分比散点图,并进行模拟配线,取 $E_p = 95\%$ 时的 PI_{30} 和 I_{30} 值,作为坡耕地的侵蚀性降雨标准。取 $E_p = 95\%$ 的原因,主要是考虑个别统计样本试验误差的影响。

由于延安、绥德和离石的土壤类型基本一致,可排除土壤因素的影响,进行统一分析。根据 10°~25°之间坡耕地径流小区 245 场侵蚀性降雨资料,分析结果如下:

$$PI_{30} = 0.009\,4E_p^2 - 1.695\,9E_p + 80.676 \quad (r = 0.983)$$

$$I_{30} = -0.340\,3\ln(E_p) + 1.830\,4 \quad (r = 0.962)$$

当 $E_p = 95\%$ 时, $PI_{30} = 4.4\text{mm}^2/\text{min}$, $I_{30} = 0.28\text{mm/min}$。因此,以 $PI_{30} > 4.4\text{mm}^2/\text{min}$ 和 $I_{30} > 0.28\text{mm/min}$ 作为 10°~25°坡耕地的侵蚀性降雨标准。

根据这一标准,对水平梯田的 48 场降雨径流观测资料进行统计分析,绘制减沙效益与 PI_{30} 的散点图(图 3-1)。

根据散点的疏密分布情况,可以看出,当 $PI_{30} < 50\text{mm}^2/\text{min}$ 时,降雨的发生频率为

85.4%,减沙效益均为 100%；当 $PI_{30}>50mm^2/min$ 时,降雨的发生频率只有 14.6%,平均减沙效益为 90.9%,且随着 PI_{30} 的增大而减小(见图3-1)。

表 3-1　　　　　　　　　　　　　水平梯田小区的基本情况

地区	年度	地点	坡度(°)	坡向	坡长(m)	土质	小区面积(m²)	附注
山西离石王家沟	1957	松树梁	0	NE	15.0	黄土	75	马铃薯
	1958	松树梁	0	NE	15.0	黄土	75	谷子
	1960	插财主沟	1	NE	40.0	黄土	400	田宽4m,多台无边埂
	1961	插财主沟	1	NE	40.0	黄土	400	田宽4m,多台无边埂
	1963	插财主沟	1	NE	40.0	黄土	400	田宽4m,多台无边埂
	1964	插财主沟	1	NE	40.0	黄土	400	田宽4m,多台无边埂
	1965	插财主沟	1	NE	40.0	黄土	400	田宽4m,多台无边埂
	1966	插财主沟	1	NE	40.0	黄土	370	田宽4m,多台无边埂
延安大砭沟	1959	小家窑				黄土	700	
	1960	坡面	0			黄土	700	糜子
	1964	下游右岸峁坡			20.2	黄绵土	186	糜子
	1965	下游左岸阳坡	0		20.0	黄绵土	188	糜子+马铃薯,盖度10%
	1966	下游左岸阳坡	0		20.0	黄绵土	188	豆子,盖度30%
	1967	下游左岸阳坡	0		20.0	黄绵土	188	糜子,盖度30%
绥德王茂沟	1961	启家焉峁						小麦
	1963	史家儿子峁				黄土	2 222	
	1963	尹家焉				黄土红土	708	
	1964	史家儿子峁				黄土	2 218	豌豆
	1964	尹家焉	0			黄土红土	708	谷子、绿豆
绥德辛店沟	1959	小13				黄土	24	马铃薯,盖度30%
	1959	小14				黄土	36	高粱,盖度40%
	1959	小15				黄土	24	谷子,盖度35%
	1961	小25				黄土	25	农地,盖度50%
绥德韭园沟	1959	水17		W	9.4	黄土	135	糜子,盖度18%
	1960	团7		S	10.0	黄土	50	高粱、豇豆,盖度24%
	1961	埝7		S		黄土	783	小麦
	1962	埝7		S	35.2	黄土	783	谷子、绿豆,盖度11%
	1962	埝20		SE	42.4	黄土	876	谷子、绿豆,盖度11%
	1963	埝7		S	35.2	黄土	708	小麦、黑豆,盖度11%
	1963	埝20		SE	42.4	黄土	2 218	高粱、豇豆,盖度20%

经回归分析,当 $PI_{30}>50mm^2/min$ 时,减沙效益 $S(\%)$ 与 PI_{30} 的关系如下:

$$S(\%) = -0.584\ 8PI_{30} + 130.07$$

$$r = 0.993^{**} \qquad n = 6 \qquad (r_{0.05} = 0.811, r_{0.01} = 0.917)$$

通过相关系数检验,减沙效益回归方程达到极显著水平。根据回归方程,PI_{30} 在 $50\sim100mm^2/min$ 之间的减沙效益见表3-2。

表 3-2				PI_{30} 在 $50\sim100$mm^2/min 时水平梯田的减沙效益						
PI_{30} (mm^2/min)	55	60	65	70	75	80	85	90	95	100
减沙(%)	97.9	95.0	92.1	89.1	86.2	83.3	80.4	77.4	74.5	71.6

上述分析结果说明,当 $PI_{30}<50$mm^2/min 时,水平梯田完全可以做到全部降雨拦蓄,减沙效益为 100%。经统计分析,延安、绥德、兴县等地 10 年一遇的 PI_{30} 值分别为 58 mm^2/min、70 mm^2/min 和 65 mm^2/min,若将 $PI_{30}=50$mm^2/min 代入上述三地的频率统计曲线,所对应的频率分别为 13%、18% 和 15%。

蒋定生等[1]测得延安等地土壤的稳定入渗速率为 $1.15\sim1.30$mm/min,将其作为 I_{30} 代入 $PI_{30}=50$mm^2/min 之中,得到 $P=38.5\sim43.5$mm。这说明对一般梯田来说,50mm 以下的降雨不会产生径流。由于统计样本的梯田质量和标准不是很高,对于高标准田埂坚固的梯田,PI_{30} 的标准会超过 50mm^2/min。据蒋定生试验结果,水平梯田 20min 的入渗水量可达到 85mm,入渗速率为 4.1mm/min。通过分析计算,延安、绥德、兴县等地 10 年一遇 24h 最大降雨量在 $80\sim120$mm 之间,因此,高标准的梯田基本可以防御 10 年一遇的暴雨。

三、年降雨条件下水平梯田的减沙效益

将汛期雨量(5~9 月降雨量)作为年降雨指标,统计不同年降雨条件下水平梯田的减沙效益,见图 3-2。由图 3-2 可以看出,在汛期雨量小于 450mm 时,减沙效益均为 100%,大于 450mm 时,减沙效益平均为 95.4%。

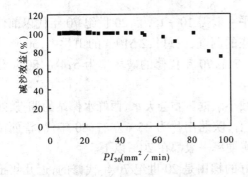

图 3-1 不同次降雨条件下水平梯田的减沙效益

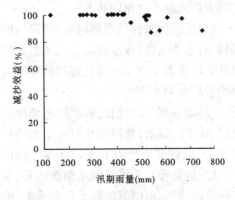

图 3-2 不同年降雨条件下水平梯田的减沙效益

四、水平梯田的质量对其减沙效益的影响

(一)无埂梯田对其减沙效益的影响

水平梯田可根据地埂的有无,分为有埂梯田和无埂梯田。据调查,黄土高原现有水平梯田的有埂率比较低,一般都在 20% 以下。根据统计分析,当 $PI_{30}<45$mm^2/min 时,无埂梯田减沙效益比有埂梯田降低 5~15 个百分点,当 $PI_{30}>45$mm^2/min 时,其减沙效益明

显降低。

(二)水平梯田的质量对其抗御大暴雨能力的影响

水平梯田可按质量分为 4 类[2]：

第一类,合乎设计标准,埂坎完好,田面平整或成反坡,土地肥沃,在设计暴雨情况下不发生水土流失。

第二类,边埂部分破坏,田面基本水平或坡度小于 2°,部分渠湾冲毁,土地较肥,在一般情况下不会发生或轻微发生水土流失。

第三类,埂坎破坏严重,大部分已无边埂,田面坡度在 2°～ 5°之间,部分渠湾冲毁,遇暴雨地面产生径流就有水土流失。

第四类,埂坎破坏严重,没有地边埂,田面坡度大于 5°,渠湾大都破坏,水土流失严重。

根据绥德水保站的资料,1964 年 7 月 5 日韭园沟流域的暴雨,平均雨量 128.9mm,历时 18.8h,平均强度 0.12mm/min,最大降雨强度 1.1mm/min,梯田地埂的破坏埂长占总埂长的 1.4%～6.3%,梯田破坏部位为填土部位的占 90%,说明梯田的质量标准甚为重要。1985 年绥德水保站对绥德、米脂两县 15 个村的 41hm² 暴雨后水平梯田破坏情况的调查结果为:第一类约占 21%;第二类约占 43%;第三类约占 19%;第四类约占 17%。第三、四类梯田的埂畔滑塌,是梯田破坏的主要原因,主要是在梯田修筑时填土与埂畔表皮的击实度太差,内填虚土严重沉陷,与表皮分离,加之土壤不断风化、崩裂,及管理养护不善,年久失修所致。据黄委会中游局调查组的资料,绥德韭园沟和辛店沟 1994 年 8 月 4～5 日降雨 150mm,调查的几块梯田坎损坏率几乎达到 100%,即使新修的梯田也达 80%。说明水平梯田的工程质量严重影响其抗御暴雨的能力,而且水平梯田抗御大暴雨的能力越来越小。原因如下:

(1)据绥德水保站观测研究,梯田地埂变平一般需 10～15 年,20 世纪 70 年代以前修的梯田,老化失修,效益衰减。在米脂 8 个村庄的调查,在总长 2 619m 的田坎中,50 年代修的破坏率为 77%,60 年代修的破坏率为 14.7%,70 年代修的破坏率为 5.4%,80 年代修的破坏率为 1.3%。

(2)随着年代的延长,梯田的有埂率逐渐减小。据黄委会天水、西峰水保站的调查,20 世纪 70 年代以前,晋西南片有埂率为 30%左右,陕北南片为 35%左右;80 年代,晋西南片为 15%,陕北南片为 15%～20%。梯田的有埂率一般都在 20%以下。

(3)据黄委会天水水保站调查结果,质量好的梯田是 20 世纪 70 年代修的,近几年推广的机修梯田,田面宽度较大且很平整,但边埂下部压实不够,在遇暴雨时,很容易塌陷或滑坡,有的是在田内填方的交界处形成陷穴,造成严重的跑水现象。在 1994 年 8 月 4 日柳林县的一次暴雨中,县城降雨量 134.9mm,历时 32h,30min 最大雨强为 1.6mm/min,三川河出现两次较大洪峰,后大城站最大流量 1 700m³/s。梯田毁坏比较严重,尤其是新修梯田,1993 年在梁峁部位修的 8 条梯田,1994 年全部种植高粱,尽管田面被作物覆盖,但除峁顶一条梯田没有受到水毁外,其余都有不同程度的毁坏,且越往下毁坏越大。70 年代修的梯田在这次暴雨中毁坏较轻,一部分田坎有轻微破坏,大部分梯田基本完好。

综上所述,水平梯田是黄土高原主要的水土保持措施,工程质量是影响梯田水土保持效益的重要因子。修筑梯田时,严把质量关,尽量达到田面水平,坎埂牢固,并经常维护,以充分发挥其减沙作用。

第二节 林草措施的减沙效益

一、资料与方法

分析资料为黄土高原多沙区的绥德辛店沟和韭园沟 1959~1963 年、绥德王茂沟 1961~1964 年、延安大砭沟 1959~1967 年、山西离石王家沟 1957~1966 年,以及安塞 1980~1989 年部分场次的坡耕地、林地、草地径流小区的基本情况资料,径流场逐次径流泥沙测验资料,以及降雨量摘录资料。径流小区的坡度在 20°~35°之间,坡长在 10~40m 之间,小区面积为 100~500m²。坡耕地小区种植的作物主要为谷子、糜子、豆类、高粱、马铃薯等,作物盖度在 0~60% 之间,且多在 35% 以下。林地小区的树种主要是刺槐,还有臭椿、榆树、紫穗槐、柠条等,林地盖度变化范围为 10%~90%。草地小区的牧草主要为苜蓿、草木樨和沙打旺等,盖度在 0~100% 之间。林地、草地径流小区的基本情况见表 3-3、表3-4。

对于减沙效益分析,是以坡耕地为对照,选择降雨条件大于坡耕地侵蚀性降雨标准的降雨侵蚀资料,分别计算林地、草地相对于坡耕地的减沙量,得到林地、草地的相对减沙效益。再统计分析林地、草地的减沙效益与降雨和植被盖度的关系,从而得到不同降雨条件下不同盖度林草的减沙指标。

二、次降雨条件下林草措施的减沙效益

曾伯庆等(1990 年)[3]、侯喜禄等(1991 年)[4]、Niwat Ruangpanit(1984 年)[5] 的研究结果表明了降雨条件与盖度对林草措施的减沙效益影响很大。关于林草措施减沙效益的研究虽然进行了很多,但将盖度与降雨两方面综合考虑评价其减沙效益的研究开展得并不多。

由于造林种草措施多分布在 20°~35°之间的坡地上,因此,选择 20°~35°之间的坡耕地径流小区侵蚀性降雨资料共 424 场,首先确定 20°~35°坡耕地的侵蚀性降雨标准(方法同水平梯田),结果如下:

$$PI_{30} = 0.011\,8E_p^2 - 2.122\,5E_p + 98.338 \quad (r = 0.962)$$

$$I_{30} = -0.456\,5\ln(E_p) + 2.319\,2 \quad (r = 0.964)$$

当 $E_p = 95\%$ 时, $PI_{30} = 3.20\text{mm}^2/\text{min}$, $I_{30} = 0.24\text{mm/min}$。故以 $PI_{30} > 3.2\text{mm}^2/\text{min}$ 和 $I_{30} > 0.24\text{mm/min}$ 作为 20°~35°坡耕地的侵蚀性降雨标准。

根据林地、草地径流小区的降雨侵蚀资料,整理降雨 $PI_{30} > 3.20\text{mm}^2/\text{min}$, $I_{30} > 0.24\text{mm/min}$,且无整地工程措施(如地埂、水平沟、鱼鳞坑)的小区资料进行统计分析,得到林地、草地的减沙效益与降雨、盖度的关系如下(v 取值 0~100%):

林地: $S(\%) = 223.923 - 3\,103.189(1/v) - 30.985\lg(PI_{30} \cdot v)$ $\quad (r = 0.682^{**}, n = 88)$

草地: $S(\%) = -108.520 + 46.194\lg(v/PI_{30}) + 84.813\lg(v)$ $\quad (r = 0.787^{**}, n = 110)$

式中: $S(\%)$ 为林草地的相对减沙效益,%; v 为林草地盖度,0~100%; PI_{30} 为降雨特性指标,3.2~100mm²/min。

表 3-3 林地径流小区的基本情况

地点	场号	种类	坡度 (°)	坡长 (m)	面积 (m²)	盖度 (%)	资料年限
绥德辛店沟	辛 1	三,五年刺槐	35.0	19.0,20.0	125,164	40,70	1956,1958
	辛 3	五年刺槐	32.5	19.0	135	70	1958
	辛 4	五年桑条	25.0	23.8	360	30	1958
	辛 5	五年柳树	25.0	26.3	423	50	1958
	辛 6	五年柳、桑	26.0	31.0	670	50	1958
	验 6	五,六年刺槐	35.5	11.0	75	70,90	1958,1959
	验 7	五,六年刺槐	30.5	13.0	131	78,90	1958,1959
	验 8	五年榆树	20.5	19.5	183	15	1958
	验 9	五年中槐	23.0	21.0	190	15	1958
	验 10	五年臭椿	25.0	19.0	172	15	1958
	育 1	五年臭椿	29.5	33.3	581	10	1958
	育 2	五年刺槐	29.0	33.3	583	50	1958
	育 3	五年白榆	31.0	33.3	572	20	1958
	育 4	五年臭椿	30.0	33.3	578	40	1958
	育 5	五年白榆	27.0	33.3	594	40	1958
	育 6	六,八年椿树	30.5	30.0	74	28,30	1959,1961
	育 7	六,八年椿树	30.5	30.0	439	28	1959,1961
	育 8	六,八年刺槐	29.3	28.4	74	90,90	1959,1961
	育 9	六,八年刺槐	29.3	28.4	422	90	1959,1961
	育 10	六,八年榆树	33.0	31.1	522	27,90	1959,1961
	育 11	六,八年椿树,紫穗槐	34.0	27.0	452	50,60	1959,1961
	育 12	六,八年刺槐,紫穗槐	34.0	28.0	464	90,90	1959,1961
	育 13	六,八年榆树,紫穗槐	33.0	24.0	403	50,60	1959,1961
	育 15	四年刺槐	34.0	20.0	216	60	1961
	育 16	四年刺槐	32.0	20.0	254	60	1961
	育 17	四年刺槐	32.0	20.0	254	60	1961
	育 18	四年刺槐	30.5	20.0	258	60	1961
	小 5	五至七年刺槐	32.0	18.0	183	51,51,50	1959~1961
	小 6	五年刺槐	21.0	21.5	185	90	1959
绥德韭园沟	水 8	六年刺槐	26.5	14.2	104	70	1959
	水 10	二年刺槐	29.5	18.2	94	15	1959
	水 11	二年刺槐	36.0	18.5	160	10	1959
	马 2	四年刺槐	28.5	10.0	53	38	1959
	关 4	三年刺槐,柠条	25.0	26.6	165	19	1960
	埝 4	三至六年柠、刺、紫	31.0	42.5	279	19,51,62,82	1960~1963
	埝 21	四,五年刺槐	20.0	12.0	56	10,10	1962,1963
	李 5	七,八年刺槐	29.5	25.0	109	57,61	1962,1963
延安大砭沟	10	林	27.0	29.5	226	60	1963
	11	枣树＋柠条	29.0	23.3	204	45	1965
	12	枣树	28.0	23.2	205	80	1965
	18	刺槐	30.0	22.2	96	85	1965
	19	五龄林	28.0	22.7	100	80	1965
	10	紫穗槐	30.0	23.4	105	40	1966
	13	六龄林	28.0	22.7	100	80	1966
	4	紫穗槐	26.0	21.4	100	15	1967
	11	紫穗槐	30.0	23.4	105	40	1967
	14	七龄林	28.0	22.7	100	80	1967
安塞纸坊沟		刺槐	27.0	20.0	100	50~75	1980~1989
		柠条	27.0	20.0	100	20~60	1980~1989
		沙棘	27.0	20.0	100	65~90	1980~1989

表 3-4 草地径流小区的基本情况

地点	场号	种类	坡度(°)	坡长(m)	面积(m²)	盖度(%)	资料年限
	7	苜蓿	34.3	24.2	100	37～100	1955～1960
	9	草木樨	32.8	23.8	100	6～95	1955～1960
	31	草木樨	24.3	44.0	400	0～80	1957～1960
	辛10	牧草	27.0	22.7	333	50	1958
	辛11	牧草	25.0	25.2	388	60	1958
	辛12	牧草	30.0	33.0	571	60	1958
	辛13	牧草	30.0	32.0	555	60	1958
	辛14	牧草	26.0	31.0	670	60	1958
	验31	紫花苜蓿	31.5	54.0	460	60	1959
	小10	草木樨	23.0	44.2	411	60	1959
	小11	紫花苜蓿	24.0	52.3	478	40	1959
	小17	苜蓿	23.0	42.2	396	48	1960
	小18	草木樨	23.0	43.0	396	48	1960
绥德辛店沟	小19	苜蓿	21.0	42.2	372	48	1960
	小20	草木樨	18.0	20.7	201	48,25	1960,1961
	验32	苜蓿	35.1	20.0	82	40	1961
	验33	苜蓿	35.1	20.0	82	40	1961
	验34	苜蓿	35.1	20.0	82	40	1961
	育22	苜蓿	34.4	24.2	100	60	1961
	育23	牛筋子	22.0	16.0	65	30	1961
	育24	牛筋子	24.3	16.0	64	30	1961
	育25	牛筋子	24.0	16.0	64	30	1961
	育26	牛筋子	24.0	16.0	64	30	1961
	育27	牛筋子	24.5	16.0	64	30	1961
	育28	牛筋子	24.5	16.0	64	30	1961
	育29	牛筋子	27.0	11.0	59	30	1961
	育30	牛筋子	26.0	11.0	59	30	1961
	育31	牛筋子	24.5	11.0	60	30	1961
	育32	牛筋子	26.0	11.0	59	30	1961
	水12	苜蓿	36.7	21.8	119	33	1959
	水13	草木樨	33.0	11.3	68	35	1959
	西2	草木樨	28.0	53.7	609	35	1959
	团4	草木樨	35.0	22.4	95	16	1959
	团5	草木樨	35.0	24.0	112	16	1959
绥德韭园沟	想5	草木樨	40.0	23.0	139	10	1959
	想6	草木樨	25.0	19.0	98	10	1959
	关3	苜蓿	36.5	10.0	48	20	1960
	埝6	苜蓿	32.0	28.0,23.1	119,98	54,28	1961,1962
	埝25	苜蓿	33.5	20.0	150	31	1963
	想17	苜蓿	21.0	10.0	51	28	1961
	李11	苜蓿	33.8	22.6,22.8	105,91	33,47	1962,1963
	5	苜蓿	22.0	21.5	100	60	1963
延安大砭沟	1	草木樨	31.0	22.6	105	60	1965
	3	草木樨	27.0	21.6	100	15	1966,1967
	5	草木樨	20.0	22.0	188	15	1966
	2	苜蓿	31.0	21.3	93	15	1967
		沙打旺	27.0	20.0	100	50～95	1983～1985
安塞纸坊沟		沙打旺	32.0	40.0	170	50～95	1983～1986
		苜蓿	32.0	40.0	170	10～80	1983～1986
		草木樨	32.0	40.0	170	10～88	1983～1986
		红豆草	32.0	40.0	170	10～60	1983～1986

通过上述关系式,可得到不同降雨条件下不同盖度林地、草地的减沙效益(表 3-5、表 3-6、图 3-3)。

表 3-5 不同次降雨条件下林地的减沙效益 （%）

PI_{30} (mm²/min)	不同盖度林地的减沙效益							
	20%	30%	40%	50%	60%	70%	80%	90%
5	6.8	53.1	75.0	87.6	95.4	100.0	100.0	100.0
10	0	43.7	65.7	78.2	86.1	91.4	95.2	97.9
20	0	34.4	56.4	68.9	76.8	82.1	85.9	88.6
30	0	28.9	50.9	63.4	71.3	76.7	80.4	83.1
40	0	25.1	47.1	59.6	67.5	72.8	76.5	79.3
50	0	22.1	44.1	56.6	64.5	69.8	73.5	76.2
60	0	19.6	41.6	54.1	62.0	67.3	71.1	73.8
70	0	17.5	39.5	52.0	59.9	65.3	69.0	71.7
80	0	15.7	37.7	50.2	58.1	63.5	67.2	69.9
90	0	14.2	36.2	48.7	56.6	61.9	65.6	68.3
100	0	12.7	34.7	47.2	55.1	60.5	64.2	66.9

表 3-6 不同次降雨条件下草地的减沙效益 （%）

PI_{30} (mm²/min)	不同盖度草地的减沙效益							
	20%	30%	40%	50%	60%	70%	80%	90%
5	29.6	52.7	69.1	81.8	92.1	100.0	100.0	100.0
10	15.7	38.8	55.2	67.9	78.2	87.0	94.6	100.0
20	1.8	24.9	41.3	54.0	64.3	73.1	80.7	87.4
30	0	16.8	33.1	45.8	56.2	65.0	72.6	79.3
40	0	11.0	27.4	40.1	50.4	59.2	66.8	73.5
50	0	6.5	22.9	35.6	45.9	54.7	62.3	69.0
60	0	2.9	19.2	31.9	42.3	51.1	58.7	65.4
70	0	0	16.1	28.8	39.2	48.0	55.6	62.3
80	0	0	13.4	26.1	36.5	45.3	52.9	59.6
90	0	0	11.1	23.8	34.2	42.9	50.5	57.2
100	0	0	9.0	21.7	32.0	40.8	48.4	55.1

从表 3-5、表 3-6 和图 3-3 可以看出:

(1)林草的减沙效益随着 PI_{30} 的增大而减小,且减幅逐渐变小。

(2)林草的减沙效益随着盖度的增大而增大,且增幅逐渐变小,在这一点上,林地表现得比草地更为明显。

(3)对于林地,当盖度>30%,就有较明显的减沙作用;当盖度>60%,减沙效益趋于相对稳定。

(4)对于草地,当盖度>40%,有较明显的水土保持作用;当盖度>70%,随着盖度的

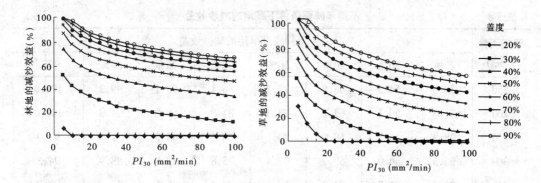

图 3-3　不同次降雨条件下不同盖度林地、草地的减沙效益

增加,减沙趋于相对稳定。

三、年降雨条件下林草措施的减沙效益

根据各小区年降雨侵蚀资料,对不同盖度林地、草地相对于坡耕地的减沙效益与汛期雨量(5~9月雨量)的关系进行了统计分析,结果如下:

林地: $S(\%) = -56.523 + 116.520 \lg(v) - 30.864 \lg(P_汛)$

$$(n = 57, r = 0.722, F = 29.37^{**})$$

草地: $S(\%) = -26.902 + 105.368 \lg(v) - 34.194 \lg(P_汛)$

$$(n = 40, r = 0.737, F = 21.95^{**})$$

式中: $S(\%)$ 为林草地的年减沙效益,%; v 为林草地盖度,0~100%; $P_汛$ 为汛期(5~9月)降雨量,100~700mm。

由以上关系式,可得不同年降雨条件下,林地、草地的年减沙效益,见表3-7、表3-8和图3-4。

表 3-7　　　　　　　　　　不同年降雨条件下林地的减沙效益　　　　　　　　　　(%)

汛期雨量	不同盖度林地的减沙效益(%)							
(mm)	20%	30%	40%	50%	60%	70%	80%	90%
150	27.9	48.4	63.0	74.3	83.5	91.3	98.1	100.0
200	24.1	44.6	59.1	70.4	79.7	87.5	94.2	100.0
250	21.2	41.6	56.1	67.4	76.7	84.5	91.2	97.2
300	18.6	39.1	53.7	65.0	74.2	82.0	88.8	94.7
350	16.6	37.1	51.6	62.9	72.2	80.0	86.7	92.7
400	14.8	35.3	49.8	61.1	70.4	78.2	84.9	90.8
450	13.2	33.7	48.3	59.6	68.8	76.6	83.3	89.3
500	11.8	32.3	46.9	58.1	67.4	75.2	81.9	87.9
550	10.5	31.0	45.6	56.9	66.1	73.9	80.7	86.6
600	9.3	29.9	44.4	55.7	64.9	72.7	79.5	85.4
650	8.3	28.8	43.3	54.6	63.9	71.7	78.4	84.4

表 3-8　　　　　　　　　　　不同年降雨条件下草地的减沙效益　　　　　　　　　　（％）

汛期雨量	不同盖度草地的减沙效益							
（mm）	20%	30%	40%	50%	60%	70%	80%	90%
150	35.8	54.3	67.5	77.7	86.1	93.1	99.2	100.0
200	31.5	50.1	63.2	73.4	81.8	88.8	94.9	100.0
250	28.2	46.7	59.9	70.1	78.5	85.5	91.6	97.0
300	25.5	44.0	57.2	67.4	75.8	82.8	88.9	94.3
350	23.2	41.8	54.9	65.1	73.5	80.5	86.6	92.0
400	21.2	39.8	52.9	63.1	71.5	78.5	84.7	90.0
450	19.5	38.0	51.2	61.4	69.7	76.8	82.9	88.3
500	17.9	36.6	49.6	59.8	68.2	75.2	81.3	86.7
550	16.5	35.0	48.2	58.4	66.8	73.8	79.9	85.3
600	15.2	33.8	46.9	57.1	65.5	72.5	78.6	84.0
650	14.0	32.6	45.7	55.9	64.3	71.3	77.4	82.8

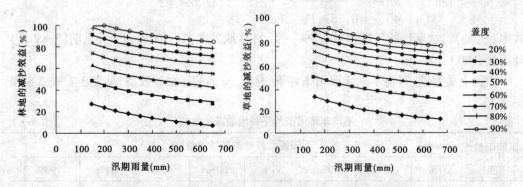

图 3-4　不同年降雨条件下不同盖度林地、草地的减沙效益

四、整地工程对林草措施减沙效益的影响

在水土流失严重的黄土高原,林木生长立地条件差,成活率较低,生长速度较慢,容易形成所谓的"小老头树"。林草措施如不与鱼鳞坑、水平沟、水平阶等工程措施相结合,其水土保持效益必将受到限制。

表 3-9 和表 3-10 是山西离石王家沟不同整地措施刺槐林径流小区的降雨侵蚀观测资料及其减沙效益的分析结果。从表 3-9 可以看出,相对于坡耕地来说,穴植的减沙效益比较明显,但其减水效益没有表现出来,大都为负值,主要原因是穴植林地的入渗率不如坡耕地,且无拦蓄作用;水平沟种植的林地减水减沙效益都较明显,主要原因是既体现了林地的防蚀作用,又体现水平沟的拦蓄作用。水平沟种植与穴植相比,减水减沙效益都增大,尤以减水效益最为明显。可见,整地工程措施可为林草的生长提供充足的水分条件。

表 3-10 为年降雨条件下的减水减沙作用,可以看出,与穴植相比,水平沟种植刺槐林的减水、减沙效益平均为 93.9%、96.5%;鱼鳞坑种植刺槐林为 80.1%、83.7%;水平阶种植刺槐林为 52.0%、73.2%。

表 3-9 　　　　　次降雨条件下水平沟种植与穴植刺槐林的减水减沙效益对比

时间 (年-月-日)	雨量 (mm)	历时 (h)	强度 (mm/h)	径流深(mm)			侵蚀模数(t/km²)			减水效益(%)			减沙效益(%)		
				坡耕地	穴植	水平沟	坡耕地	穴植	水平沟	穴植	水平沟	增加	穴植	水平沟	增加
1957-07-23	8.2	2.0	4.2	1.0	0.1	0	202.6	0	0	90.0	100.0	10.0	100.0	100.0	0
1957-08-13	30.9	1.2	26.8	5.5	10.7	0.4	2 250	3 620.2	46.9	-94.5	92.7	187.3	-60.9	97.9	158.8
1958-07-24	21.7	6.2	3.5	1.7	0.2	0	37.0	2.6	0	88.2	100.0	11.8	93.0	100.0	7.0
1958-07-29	50.9	5.1	10.0	14.0	22.4	0.9	5 651.3	180.5	12.6	-60.0	93.6	153.6	96.8	99.8	3.0
1959-07-08	35.9	8.0	4.5	1.0	0.3	0	499.0	10.8	0	70.0	100.0	30.0	97.8	100.0	2.2
1959-07-30	19.3	1.4	14.3	2.9	1.4	0.3	1 505.0	57.3	14.2	51.7	89.7	37.9	96.2	99.1	2.9
1959-08-05	58.8	6.5	9.0	7.2	7.6	0.5	4 204.0	64.5	5.9	-5.6	93.1	98.6	98.5	99.9	1.4
1959-08-15	23.6	2.4	9.7	1.4	2.8	0.2	1 172.0	93.5	1.5	-100.0	85.7	185.7	92.0	99.9	7.9
1959-08-17	20.3	4.2	4.9	1.0	4.0	0.2	1 387.0	91.0	1.4	-300.0	80.0	380.0	93.4	99.9	6.5
1959-08-19	101.2	17.0	6.0	17.2	20.1	0.8	5 651.0	349.0	8.1	-16.9	95.3	112.2	93.8	99.9	6.1

表 3-10 　　　　　　　　　整地造林措施的年减水减沙作用

整地措施	年份 (年)	径流深 (mm)	侵蚀模数 (t/km²)	减水 (%)	减沙 (%)
水平沟	1957	1.3	118.9	92.6	96.8
	1958	2.6	28.8	93.8	96.8
	1959	2.0	31.1	95.3	95.8
鱼鳞坑	1957	4.3	148.4	76.1	96.0
	1958	6.5	118.2	84.5	86.9
	1959	8.7	232.4	79.7	68.3
水平阶	1957	11.4	1 124.3	36.7	69.5
	1958	22.8		45.6	
	1959	11.2	170.1	73.8	76.8
穴植 (对照)	1957	18.0	3 690.1		
	1958	41.9	904.6		
	1959	42.8	733.2		

五、林草措施水土保持有效盖度

对水土保持而言,起关键作用的是植被群落的盖度,即有效植被盖度。有效植被盖度是水土保持林草措施建设中一个重要的指导性指标,不少学者从不同的方面进行过研究,由于研究对象不同,概念不明确,致使有诸多的有效盖度(30%~70%),而且为一定值[3,6,7,8]。土壤侵蚀的大小是降雨、土壤、植被、地形等因子共同作用的结果,要使土壤流失量小于某一定值时,在不同的降雨、地形条件下,要求的植被盖度是不一样的。张光辉等(1996年)[9]定义有效植被盖度是指在一定区域内(气候、土壤等因素相对稳定的条件下),某块草地和林地的土壤侵蚀量降低到最大允许土壤流失量以内所需的植被盖度。它是气候、土壤的函数,同时随着植被类型、地形地貌等因素的变化而变化,对于某一给定草地和林地,它是从临界有效盖度到1这样一个数字区间。但他未对不同条件下植被有效盖度进行定量研究。下面对林地和草地在不同坡度和次降雨情况下的有效盖度进行分析。

对于某一特定的地点来说,令人满意的水土保持措施是其土壤侵蚀量小于该地的土壤侵蚀允许值[10]。在现代生产技术条件下,维持土壤获得永久经济效益所允许的最大土壤流失量为20kg/100m²[7],即为200t/km²。因此,以土壤侵蚀强度<200t/(km²·a)作为次降雨条件下林草水土保持有效盖度的目标指标。

临界有效盖度是指在相对某一降雨和地形(坡度)条件下,不使土壤流失(在允许土壤流失量范围内)的最低植被盖度。经对林地78场次、草地68场次不同降雨条件下临界有效盖度的统计分析,得出林地、草地的水土保持临界有效盖度(v)与PI_{30}和坡度(s)的关系如下(v取值为0~100%):

林地:$v = -103.29 + 33.81 \lg(PI_{30}) + 75.38 \lg(s)$ ($r=0.739$)

草地:$v = -103.20 + 34.62 \lg(PI_{30}) + 78.97 \lg(s)$ ($r=0.780$)

式中:v为林草地临界有效盖度,0~100%;PI_{30}为降雨特性指标,3.2~100 mm²/min;s为林草地的坡度,20°~35°。

根据回归方程可得到不同降雨(PI_{30})和坡度下林地和草地的水土保持临界有效盖度,见图3-5和表3-11。

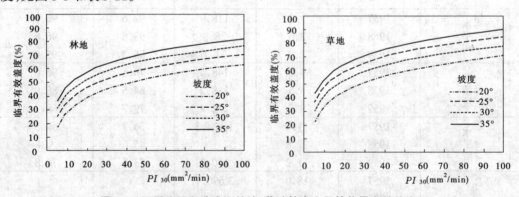

图3-5 不同降雨和坡度下林地、草地的水土保持临界有效盖度

从表3-11和图3-5可以看出,在降雨、坡度相同的情况下,植被类型不同,临界有效盖度也不同,林地的临界有效盖度较草地的小,这主要是因为林冠的截流作用较大。在相同的坡度下,林、草地的临界盖度随着PI_{30}的增加而增加,其增加的幅度逐渐减缓,特别是当坡度为20°、25°、30°、35°时,对于林地临界盖度分别大于40%、50%、60%和65%,对于草地临界盖度分别大于55%、60%、65%和70%时,降雨因子对临界有效盖度的影响减弱得较快。在降雨条件相同时,林、草地的临界有效盖度随着坡度的增大而增大,坡度越大,增加的幅度也有所减缓。

表 3-11

不同降雨和坡度条件下林地、草地水土保持临界有效盖度 （%）

PI_{30} (mm²/min)	不同坡度下林地临界有效盖度				不同坡度下草地临界有效盖度			
	20°	25°	30°	35°	20°	25°	30°	35°
5	18.4	25.7	31.7	36.7	23.7	31.4	37.6	42.9
10	28.6	35.9	41.9	46.9	34.2	41.8	48.1	53.4
15	34.5	41.9	47.8	52.9	40.3	47.9	54.2	59.5
20	38.8	46.1	52.0	57.1	44.6	52.2	58.5	63.8
25	42.0	49.4	55.3	60.4	47.9	55.6	61.8	67.1
30	44.7	52.0	58.0	63.0	50.7	58.3	64.6	69.9
35	47.0	54.3	60.3	65.3	53.0	60.7	66.9	72.2
40	48.9	56.3	62.2	67.3	55.0	62.7	68.9	74.2
45	50.7	58.0	64.0	69.0	56.8	64.4	70.7	76.0
50	52.2	59.5	65.5	70.5	58.4	66.0	72.3	77.6
55	53.6	60.9	66.9	71.9	59.8	67.4	73.7	79.0
60	54.9	62.2	68.2	73.2	61.1	68.8	75.0	80.3
65	56.1	63.4	69.4	74.4	62.3	70.0	76.2	81.5
70	57.2	64.5	70.4	75.5	63.4	71.1	77.3	82.6
75	58.2	65.5	71.5	76.5	64.5	72.1	78.4	83.6
80	59.1	66.4	72.4	77.4	65.4	73.1	79.3	84.6
85	60.0	67.3	73.3	78.3	66.3	74.0	80.2	85.5
90	60.9	68.2	74.1	79.2	67.2	74.9	81.1	86.4
95	61.6	69.0	74.9	80.0	68.0	75.7	81.9	87.2
100	62.4	69.7	75.7	80.7	68.8	76.4	82.7	88.0
120	65.1	72.4	78.4	83.4	71.5	79.2	85.4	90.7

第三节　淤地坝的减沙效益

一、资料与方法

分析资料为大理河、佳芦河、秃尾河、窟野河及黄甫川五条支流淤地坝的调查资料（绥德水保站提供）。调查数据为开始建坝至 1992 年底。调查方法是对各流域坝高 >10m，或已淤坝地面积 0.67hm² 以上，或总库容 >10 万 m³ 的所有坝库进行实际测量，对于达不到以上标准，但坝高 >5m，已淤地面积 >0.33hm² 的谷坊，只调查统计不作测量。每座淤地坝外业测量内容有：坝体尺寸、淤地面积、利用面积、坝顶距淤泥面的距离、有效剩余拦泥高度等，调查内容主要有建坝时间、坝地利用时间等。

为了获取每座坝的总库容和已淤库容，对每一条支流都建立了一套计算库容的公式（表 3-12）。对于无设计资料的坝库可根据外业调查获得其坝高、淤地面积和坝控流域面积,代入公式可得已淤库容。对于有设计资料的淤地坝,其已淤库容据已淤高度查得。

表 3-12 　　　　　　　　　　　五条支流计算库容的回归公式

支流名	分　类	库容计算公式	相关系数
大理河	$F<1$	$V=0.595\,7H^{0.872}A^{1.002}$	0.992
	$F=1\sim3$	$V=0.294\,3H^{1.241}A^{0.726}$	0.965
	$F=3\sim5$	$V=0.701\,7H^{0.778}A^{1.104}$	0.986
	$F=5\sim10$	$V=0.735\,6H^{0.768}A^{1.067}$	0.985
	$F>10$	$V=0.507\,2H^{0.983}A^{0.998}$	0.987
佳芦河	全流域	$V=0.346\,1H^{1.014}A^{0.998}$	0.993
	黄丘区	$V=0.646\,7H^{0.867}A^{0.990}$	0.997
秃尾河	盖沙区	$V=0.623\,2H^{0.908}A^{0.964}$	0.994
窟野河	风沙区	$V=0.483\,1H^{0.900}A^{0.920}$	0.991
	黄丘区	$V=0.336\,5H^{1.062}A^{1.014}$	0.997
黄甫川	砒砂岩区	$V=0.338\,4H^{1.077}A^{0.965}$	0.993
	盖沙区	$V=0.299\,6H^{1.261}A^{0.833}$	0.997

注:表中 F 为流域面积,km^2;V 为库容,万 m^3;H 为坝高,m;A 为淤地面积,hm^2。

数据项目有控制面积(km^2)、坝高(m)、泥面至坝顶距离(m)、总库容(万 m^3)、已淤库容(万 m^3)、剩余库容(万 m^3)、可淤坝地(hm^2)、已淤坝地(hm^2)、建坝时间等。共有淤地坝4 877座,其中大理河2 768座,佳芦河424 座,秃尾河489 座,窟野河815 座,黄甫川381座(见表3-13)。各支流内淤地坝建设较好的小流域的淤地坝情况见表3-14。

表 3-13 　　　　　　　　　　　五条支流的建坝情况

流　域	流域面积(km^2)	大型坝(座)	中小型坝(座)	合　计(座)
黄甫川	3 246	104	277	381
窟野河	8 706	70	745	815
秃尾河	3 294	36	453	489
佳芦河	1 134	61	363	424
大理河	3 906	271	2 497	2 768
合　计	20 286	542	4 335	4 877

淤地坝的减沙效益包括淤地坝的拦泥量、减轻沟蚀量以及由于淤地坝滞洪后削减洪峰流量、流速而对淤地坝下游沟道侵蚀的减少量。在淤地坝的建设中,有一部分是修建在沟道比较平缓、沟谷侵蚀已达到相对稳定的流域内,这些淤地坝基本无减蚀作用,在计算减蚀量时应扣除这一部分。但目前对这一部分不减蚀的坝地无法确定,可与对坝地以上沟谷侵蚀的减沙量相抵,不予考虑[11,12]。

淤地坝减沙效益的计算公式如下:

表 3-14　　　　　　　　　　　　　　　　　小流域的淤地坝情况

支　流	小流域	面积 （km²）	区　　间	大型坝 （座）	中小型坝 （座）	合计 （座）
黄甫川	十里长川	702	黄甫—沙圪堵	45	71	116
	乌兰沟	75	沙圪堵以上	0	6	6
窟野河	暖水川		新庙以上	0	13	13
	灰昌沟	120	神木—王道恒塔,新庙	1	27	28
	牛栏沟	146	神木—温家川	8	42	50
	活鸡兔沟	327	王道恒塔以上	6	14	20
秃尾河	红柳沟	286	高家堡以上	5	20	25
	开荒川	140	高家堡—高家川	12	91	103
佳芦河	五女川	373	申家湾以上	20	166	186
大理河	岔巴沟	205	青阳岔—绥德	10	206	216
	青阳岔以上	662	青阳岔以上	32	282	314

总减沙量:$\Delta M = M_1 + M_2$

$$M_1 = V \cdot 10\ 000 \cdot \gamma \cdot (1 - a_1) \cdot (1 - a_2)$$

$$M_2 = 0.01A \cdot S \cdot K$$

总产沙量:$M = S \cdot F \cdot n$

减沙效益:$S(\%) = (\Delta M / M) \cdot 100\%$

式中:M_1 为淤地坝的拦沙量,t;M_2 为淤地坝的减蚀量,t;V 为已淤库容,万 m³;A 为已淤坝地面积,hm²;S 为自然状态下流域年均侵蚀模数,t/km²;F 为流域(坝控)面积,km²;n 为淤积年限,年;K 为沟谷侵蚀模数与流域平均侵蚀模数之比,据子洲团山沟资料,取 1.5;γ 为淤泥干容重,t/m³,取 1.35;a_1 为人工填垫占淤地坝拦泥的比例,据陕西省水保局对陕北淤地坝的调查,取 0.10;a_2 为推移质系数,据绥德水保站对韭园沟的观测,取 0.15。

　　选取没有淤满淤地坝的资料,计算单个淤地坝的减沙效益、拦沙指标、淤积速度,以及与坝高、控制面积、降雨等因素之间的相互关系。

二、单坝的减沙效益

(一)多年平均减沙效益计算

　　表 3-15 为五条支流不同坝高淤地坝的多年平均减沙效益的分析结果。表中资料说明,淤地坝的减沙效益随坝高的增加而增加。五条支流的平均减沙效益为 34.4%。其中坝高在 5～10m、10～15m、15～20m、20～25m、25～30m 的淤地坝减沙效益分别为 13.5%、27.9%、38.3%、42.0%、48.4%。有些支流坝高≥30m 的淤地坝减沙效益相对较小,与控制面积大有关。相同坝高范围,有些支流效益差异很大,原因在于不同坝高与控制面积的比例分配有差异。

表 3-15

表 3-15 不同坝高淤地坝多年平均减沙效益 （%）

流 域	坝 高(m)						
	5～10	10～15	15～20	20～25	25～30	≥30	平均
黄甫川	26.91	25.61	36.22	27.71	38.02		30.50
窟野河	17.19	25.99	39.32	44.22	37.32	47.56	29.88
秃尾河	7.18	38.65	50.99	41.59	65.34	70.62	47.76
佳芦河	6.68	13.52	18.86	32.14	33.79	28.28	22.00
大理河	15.13	36.12	49.21	55.46	59.61	78.45	47.57
平 均	14.62	27.98	38.92	40.22	46.82	56.23	35.54

对单坝的减沙效益与坝高和控制面积之间的相互关系进行了统计分析,见表 3-16。结果表明,单坝的减沙效益与坝高成正比,与控制面积成反比。

表 3-16 单坝减沙效益(S,%)与坝高(H,m)和控制面积(F,km^2)的关系

流 域	回归方程	样本数	相关系数	坝高范围 (m)	控制面积范围 (km^2)
窟野河灰昌沟等	$S(\%)=1.496F^{-0.562}H^{0.932}$	74	0.696	5～42	0.04～11.94
佳芦河五女川	$S(\%)=0.077F^{-0.829}H^{1.884}$	160	0.808	5～35	0.13～12.7
秃尾河开荒川	$S(\%)=0.074F^{-0.830}H^{2.173}$	59	0.770	6～35	0.03～7.43
大理河岔巴沟	$S(\%)=0.019F^{-0.737}H^{2.280}$	101	0.755	3～30	0.10～13.95

(二)不同水文年淤地坝的减水减沙效益

因淤地坝的调查资料为建坝时间至调查时间的总淤积量和总淤积面积,若需计算某个年份的减沙效益,用这些调查资料是很困难的。下面对不同水文年型淤地坝的减沙效益进行尝试性分析,方法步骤如下:

首先采用降雨指标比例法,就是用某年的降雨指标和坝地淤积年限内降雨指标的累积值的比值系数,求出各年淤地坝的拦泥量和淤地面积。选取的降雨指标为年最大60min 雨量(P_{60}),再建立侵蚀模数与 P_{60} 的关系,以计算自然状态下不同水文年型的侵蚀模数。

以佳芦河五女川为例,根据佳芦河申家湾水文站 1970 年以前的降雨输沙资料,得出径流模数(R)、侵蚀模数(S)与 P_{60} 的关系如下:

$$R = 3\,211e^{0.002\,99P_{60}} \qquad (r = 0.943, n = 12)$$
$$S = 8 \times 10^{-7}R^2 + 0.411\,3R - 19\,487 \qquad (r = 0.989, n = 10)$$

然后按分配后各年淤积库容、淤积面积计算每年的减沙量,根据侵蚀模数与 P_{60} 的关系、控制面积计算各年的产沙量,从而得出各年的减沙效益。最后统计分析减沙效益与坝高(H)、控制面积(F)和 P_{60} 的关系,结果如下:

$$S(\%) = 9.294\,98F^{-0.718}H^{1.689}P_{60}^{-1.122} \qquad (r = 0.813, n = 2\,475)$$

三、坝系的减沙效益

表 3-17 为黄甫川、窟野河、秃尾河、佳芦河和大理河五支流及其水文站控制区间、小流域坝系自建坝至 1992 年的减沙效益分析结果。可以看出,在五支流中,大理河流域的减沙效益最大,为 28.0%;佳芦河次之,减沙效益为 12.2%;窟野河最小,减沙效益为 2.6%。

表 3-17　　　　　　　　　　　　　　坝系的减水减沙效益

流　域	流域产沙			坝系减沙						
	流域面积 (km²)	侵蚀模数 〔t/(km²·a)〕	产沙量 (亿 t)	淤积年限 (年)	已淤库容 (万 m³)	淤地面积		拦沙量 (万 t)	减沙量 (万 t)	减沙 (%)
						km²	%			
黄甫川	3 246	17 227.3	19.57	35	14 134.4	19.5	0.6	14 597.3	55.5	7.5
窟野河	8 706	12 689.6	36.46	33	9 028.6	14.5	0.2	9 324.3	33.2	2.6
秃尾河	3 294	6 734.4	7.54	34	6 265.9	9.9	0.3	6 471.1	13.7	8.6
佳芦河	1 134	15 020.3	5.79	34	6 792.5	11.2	1.0	7 015.0	45.2	12.2
大理河	3 906	10 669.2	17.09	41	46 230.8	59.9	1.5	47 744.9	146.3	28.0
沙圪堵以上	1 351	20 137.6	9.25	34	40 337.9	4.4	0.3	4 170.1	9.9	4.5
黄甫—沙圪堵	1 848	15 099.8	9.77	35	9 521.1	14.1	0.8	9 832.9	34.4	10.1
王道恒塔以上	3 839	7 579.0	9.89	34	1 792.0	4.0	0.1	1 850.7	5.5	1.9
新庙以上	1 527	11 986.0	6.22	34	336.3	0.7	0	347.3	1.4	0.6
神木—王,新	1 932	10 472.2	6.07	30	2 437.9	3.6	0.2	2 517.7	6.3	4.2
神木—温家川	1 347	31 754.8	14.12	33	4 414.3	6.2	0.5	4 558.9	36.9	3.3
高家堡以上	2 095	4 426.6	2.23	24	1 173.9	1.6	0.1	1 212.3	1.5	5.5
高家堡—高家川	1 158	10 909.5	4.42	35	5 027.2	8.1	0.7	5 191.8	17.7	11.8
青阳岔以上	662	9 059.8	2.52	42	3 327.1	5.1	0.8	3 436.1	12.1	13.7
青阳岔—绥德	3 231	12 046.2	16.35	42	42 903.7	54.9	1.7	44 308.8	125.6	27.2
十里长川	702	15 099.8	3.07	29	3 700.0	7.0	1.0	3 821.2	17.1	12.5
乌兰沟	75	20 137.6	0.33	22	9.8	0	0	10.1	0.1	0.3
灰昌沟	120	10 472.2	0.21	17	274.0	0.4	0.2	283.0	0.7	13.3
牛栏沟	146	31 754.8	1.53	33	1 335.4	1.8	1.2	1 379.1	10.6	9.1
活鸡兔沟	327	7 579.0	0.82	33	320.9	0.7	0.2	331.4	1.0	4.1
红柳沟	286	4 426.6	0.33	26	262.9	1.1	0.4	271.5	1.0	8.3
开荒沟	140	10 909.5	0.53	35	1 484.8	2.2	1.6	1 533.4	4.9	28.8
五女川	373	15 020.3	1.96	35	2 281.5	4.1	1.1	2 356.2	16.5	12.1
岔巴沟	205	12 024.9	0.96	39	2 109.2	3.0	1.5	2 178.3	9.8	22.8

黄甫川、秃尾河的减沙效益比较接近,分别为7.5%和8.6%。各水文站控制区间相比,大理河的青阳岔至绥德之间的减沙效益最高,为27.2%,黄甫川的黄甫至沙圪堵区间、秃尾河的高家堡至高家川区间和大理河的青阳岔以上区域的减沙效益分别为10.1%、11.8%和13.7%;其他区间都在5%以下。各小流域相比,秃尾河的开荒沟的减沙效益最高,为28.8%;大理河的岔巴沟次之,为22.8%,黄甫川十里长川、窟野河灰昌沟、秃尾河五女川的减沙效益相近,分别为12.5%、13.3%和12.1%;窟野河牛栏沟和秃尾河的红柳沟的减沙效益分别为9.1%和8.3%,黄甫川的乌兰沟最低,仅为0.3%。

经分析,坝系的减水减沙效益与坝地面积占流域面积的比例关系密切(见表3-18),其大小随着坝地面积比例的增加而增加,呈直线关系。

表3-18　　　　坝系减沙效益(S,%)与坝地面积占流域面积比例(A,%)的关系

流　域	关系式	样本数	相关系数
支　流	$S(\%) = -0.413 + 16.927A(\%)$	5	0.933
区　间	$S(\%) = 0.511 + 14.897A(\%)$	10	0.960
小流域	$S(\%) = 2.358 + 12.317A(\%)$	9	0.832
合　计	$S(\%) = 1.043 + 14.134A(\%)$	24	0.903

四、淤地坝的拦沙指标

拦沙指标是淤地坝减沙效益计算中的一个非常重要的参数,也是正确评价淤地坝拦沙效益的基础。

(一)单坝的拦沙指标

表3-19是对五支流不同坝高的坝地拦沙指标的分析结果。

表3-19　　　　　　　五支流不同坝高的坝地拦沙指标　　　　　(单位:万 t /km^2)

坝　高	<5m	5~10m	10~15m	15~20m	20~25m	25~30m	≥30m	平　均
黄甫川流域		222.9	384.0	529.4	631.1	849.0	1 338.6	453.4
窟野河流域	94.5	243.6	415.0	625.5	748.0	907.0	1 180.8	499.9
秃尾河流域	153.6	288.9	467.5	618.8	755.0	829.7	1 060.8	551.6
佳芦河流域		201.3	333.1	439.2	604.6	660.5	889.5	470.6
大理河流域	181.6	320.9	483.7	636.8	816.7	975.5	1 231.9	556.4
平　　均	143.2	255.5	416.7	569.9	711.0	844.4	1 140.3	506.4

拦沙指标与坝高、控制面积及降雨的关系如下:

(1)拦沙指标与坝高的关系式,见表3-20。

(2)拦沙指标与坝高、控制面积的关系(佳芦河五女川)如下:

$$M_s = 148.471 - 45.605F + 172.482H \quad (r = 0.833, n = 160)$$

式中:M_s坝地拦沙指标,万 t /km^2;H 为坝高,m。

(3)拦沙指标与坝高、控制面积及降雨的关系(佳芦河五女川)如下:

$$M_s = 140.446\,7 - 42.963\,4F + 175.231\,5H - 0.134\,37P_{60}$$

$$(r = 0.844, n = 2\ 475)$$

表 3-20 坝地拦沙指标与坝高的关系

流　域	关　系　式	样本数	相关系数	坝高范围(m)
黄甫川	$M_s = 33.659H - 22.628$	338	0.894	5～50
窟野河	$M_s = 35.394H + 17.012$	772	0.931	2～50
秃尾河	$M_s = 29.806H + 110.09$	473	0.918	2～45
佳芦河	$M_s = 25.891H + 24.097$	413	0.878	4～40
大理河	$M_s = 34.607H + 72.520$	2 725	0.923	3～50

(二)坝系单位坝地的拦沙、减沙指标

对五支流及其水文站控制区间、小流域坝系中单位坝地的拦沙量、减蚀量进行了计算,结果见表 3-21。五支流平均单位坝地的拦沙量为 656.0 万 t/km²,减沙量为 2.53 万 t/km²,平均总减沙量为 658.5 万 t/km²。

表 3-21 坝系单位坝地的拦沙指标

	流　域	已淤库容 (万 m³)	淤地面积 (km²)	拦沙量 (万 t/km²)	减沙量 (万 t/km²)	拦沙减沙量 (万 t/km²)
支流	黄甫川	14 134.4	19.5	749.7	2.85	752.6
	窟野河	9 028.6	14.5	641.8	2.29	644.1
	秃尾河	6 265.9	9.9	655.9	1.39	657.3
	佳芦河	6 792.5	11.2	626.7	4.04	630.7
	大理河	46 230.8	59.9	796.9	2.44	799.3
流域区间	沙圪堵以上	40 337.9	4.4	954.2	2.26	956.5
	黄甫至沙圪堵	9 521.1	14.1	698.5	2.44	701.0
	王道恒塔以上	1 792.0	4.0	462.8	1.39	464.2
	新庙以上	336.3	0.7	469.7	1.95	471.7
	神木—王、新	2 437.9	3.6	702.9	1.75	704.6
	神木—温家川	4 414.3	6.2	738.4	5.98	744.4
	高家堡以上	1 173.9	1.6	751.1	0.96	752.1
	高家堡—高家川	5 027.2	8.1	640.2	2.19	642.4
	青阳岔以上	3 327.1	5.1	680.2	2.40	682.6
	青阳岔—绥德	42 903.7	54.9	807.6	2.29	809.9
小流域	十里长川	3 700.0	7.0	547.4	2.44	549.8
	乌兰沟	9.8	0.0	345.0	2.26	347.3
	灰昌沟	274.0	0.4	687.9	1.75	689.7
	牛栏沟	1 335.4	1.8	778.3	5.98	784.3
	活鸡兔沟	320.9	0.7	472.1	1.39	473.5
	红柳沟	262.9	1.1	256.5	0.96	257.4
	开荒沟	1 484.8	2.2	683.0	2.19	685.2
	五女川	2 281.5	4.1	575.3	4.04	579.4
	岔巴沟	2 109.2	3.0	724.1	3.26	727.4
平　均				656.0	2.53	658.5

五、淤地坝的淤积速度

淤积速度是指单坝年均淤积库容和年均淤地面积,反映淤地坝的拦蓄能力,可为淤地坝设计标准与治理规划的制定提供依据。不同坝高淤地坝的年均库容与淤地面积见表3-22。为了便于应用,对它们与控制面积和坝高之间的关系进行了统计分析,结果见表3-23。结果说明,二者与坝高、控制面积成正比关系,但坝高的影响远远大于控制面积。

表 3-22　　　　　　　　　　不同坝高淤地坝的年均淤积库容与淤地面积

项　目	流　域	坝高(m)						
		5～10	10～15	15～20	20～25	25～30	≥30	平均
年均淤积库容(万 m^3)	黄甫川	1.37	4.36	4.71	5.79	15.26	29.88	5.02
	窟野河	0.82	1.16	1.84	2.39	3.39	3.95	1.61
	秃尾河	0.55	1.26	2.02	3.28	3.37	3.72	1.82
	佳芦河	0.80	1.12	1.81	2.54	3.59	5.59	2.11
	大理河	0.46	0.71	1.91	3.08	4.96	9.06	1.62
	平　均	0.80	1.72	2.46	3.42	6.11	10.44	2.44
年均淤地面积(hm^2)	黄甫川	0.014	0.078	0.109	0.159	0.556	1.699	0.141
	窟野河	0.008	0.021	0.050	0.079	0.125	0.199	0.045
	秃尾河	0.007	0.025	0.054	0.103	0.055	0.169	0.051
	佳芦河	0.007	0.017	0.035	0.069	0.105	0.237	0.056
	大理河	0.006	0.015	0.052	0.109	0.205	0.525	0.055
	平　均	0.009	0.031	0.060	0.103	0.209	0.566	0.069

表 3-23　　淤积库容(V_n)和淤地面积(A_n)与坝高(H,m)、控制面积(F,km^2)的关系

流域	样本数	年均淤积库容(万 m^3)	相关系数	年均淤地面积(hm^2)	相关系数	坝高范围(m)	控制面积(km^2)
黄甫川	338	$V_n = 0.001\,6F^{0.411}H^{2.237}$	0.839	$A_n = 0.005\,9\,F^{0.408}H^{1.199}$	0.756	5.0～50.0	0.05～50.00
窟野河	771	$V_n = 0.001\,8F^{0.164}H^{2.017}$	0.804	$A_n = 0.007\,7\,F^{0.251}H^{0.882}$	0.623	1.5～50.0	0.02～50.00
秃尾河	473	$V_n = 0.002\,7F^{0.218}H^{1.934}$	0.842	$A_n = 0.005\,7\,F^{0.252}H^{1.050}$	0.716	3.0～45.0	0.02～10.61
佳芦河	412	$V_n = 0.001\,7F^{0.254}H^{1.976}$	0.862	$A_n = 0.006\,4\,F^{0.275}H^{0.975}$	0.763	4.0～40.0	0.10～38.00
大理河	1 892	$V_n = 0.002\,9F^{0.418}H^{1.924}$	0.926	$A_n = 0.004\,9\,F^{0.427}H^{1.076}$	0.865	3.0～48.0	0.10～50.00

以佳芦河五女川为例,年淤库容(m^3)、年淤坝地(hm^2)与坝高、控制面积和 P_{60} 的关系如下所示:

$$V_n = 0.586\,18F^{0.173}H^{1.955}P_{60}^{1.002} \qquad (r = 0.826, n = 2\,475)$$

$$A_n = 0.000\,215F^{0.198}H^{0.973}P_{60}^{1.001} \qquad (r = 0.794, n = 2\,475)$$

与减沙效益、拦沙指标相同,坝高、控制面积与降雨三因素相比,坝高影响最大,降雨次之,说明坝地效益主要由坝高即坝的规格所决定,而降雨的大小则影响其拦蓄能力,即降雨影响着泥沙的来源量,而坝高则影响着泥沙的可拦蓄量。

六、暴雨毁坝增沙分析

30 年来,曾发生过的四次较大淤地坝溃决情况,见表 3-24。

表 3-24　　　　　　　　　　　　陕北地区四次暴雨垮坝调查汇总[13]

调查地区	无定河绥德、米脂、横山	清涧河延川	延河延长	清涧河子长
垮坝时间	1966 年 7 月 17 日	1973 年 8 月 25 日	1975 年 8 月 5 日	1977 年 5 月 6 日
降雨量(mm)	165	112	108	167
调查范围	8 个公社	全县	全县	416km²
调查座数	693	7 570	6 000	403
冲毁座数	444　(64%)	3 300　(43%)	1 830　(30.6%)	121　(30%)
坝体大部溃决坝体大部冲走	172　(24.8%)	1 120　(14.8%)	373　(6.2%)	
坝体部分溃决,坝地拉沟	53　(7.7%)	890　(11.8%)	844　(14.1%)	
翻顶、拉大溢洪道	219　(31.6%)	1 269　(17.0%)	23　(0.04%)	
洪水漫顶,没有损失			591　(9.9%)	
总淤地面积(hm²)	141.4	1 465.8	2 493.3	342.5
破坏坝地(hm²)	92.3　(72%)	(220)　(15%)	232.2　(9.0%)	89.3　(26%)
调查单位	陕西省水保局	延安地区水利局延安县水利局	延安地区水电局延安县水电局	子长县革委会

从四次淤地坝冲毁情况调查报告中可以看出:

(1)四次淤地坝被冲坏的数量都很大,占当地淤地坝总数的 30%～60%。大多数淤地坝是坝体部分或小部分被冲,有些是溢洪道被冲开,有些只是在坝坡形成冲沟,只有 15% 左右淤地坝的坝体大部分被冲,坝地破坏严重。

(2)坝地的损坏率比坝体低,如 1973 年、1975 年、1977 年三次淤地坝损坏率分别为 43%、30.6% 和 30%,而坝地的损坏率分别为 15%、9% 和 26%。又如 1977 年受灾严重的韭园沟流域,淤地坝损坏率为 73%,而坝地的损坏率为 27%。这是由于黄土丘陵沟壑区的暴雨洪水具有峰高量小历时短的特点所致。当淤地坝剩余库容较小,一遇暴雨就可能造成坝体溃决和部分冲坏,而坝地被拉出一些冲沟,仍可耕种。

（3）有时坝地的被冲则会伴随新坝地的淤成。如1977年子长县11条沟道内，坝地被冲失89.3hm²，而新淤出坝地148.2hm²，反而净增坝地58.9hm²。

（4）淤地坝被冲坏后，大部分淤积的泥沙依然保存，不存在"零存整取"的情况，河流输沙量也未发生大幅度增加。如1973年和1977年延河和清涧河流域都有成千座淤地坝被冲坏，但洪水期的水沙关系无显著变化。

（5）龚时旸等[14]认为，在暴雨和特大暴雨时淤地坝遭到破坏，但大多数只是坝体本身被冲开一个缺口，所拦截泥沙冲失率只有10%～30%，在一些沟道内，因有一定数量骨干与中小型淤地坝相结合形成坝系，在特大暴雨的袭击下仍安全无恙。由此可见，大暴雨情况下，对于单坝来说，个别毁坝增沙严重；但对整个坝系（流域）来说，泥沙未出坝系，有时会淤出新的坝地，整个坝系在特大暴雨中仍具有很大的拦沙作用。在计算流域或区域淤地坝的效益时，用坝系效益或坝系中单位坝地的减水减沙效益指标是较为合理的。

参 考 文 献

1　蒋定生等．黄土高原水土流失与治理模式．北京：中国水利水电出版社，1997：27～44
2　徐乃民等．水平梯田蓄水减沙效益计算探讨．中国水土保持，1993（3）：32～34
3　曾伯庆等．人工草地植被对产流产沙影响的研究．见：晋西黄土高原土壤侵蚀规律实验研究文集．北京：水利电力出版社，1990
4　侯喜禄等．黄土丘陵区主要水保林类型及草地水保效益的研究．中国科学院、水利部西北水土保持研究所集刊，1991（14）：96～103
5　Niwat Ruangpanit．林冠郁闭度对水土流失的影响．中国水土保持，1984（7）：56～58
6　侯喜禄等．陕北黄土丘陵沟壑区植被减水减沙效益研究．水土保持通报，1990，10（2）：33～40
7　罗伟祥等．不同盖度林地和草地的径流量和冲刷量．水土保持学报，1990，4（1）：30～34
8　郭百年等．暴雨条件下沙棘林减水减沙效益研究．人民黄河，1997（2）：26～28
9　张光辉等．论有效植被盖度．中国水土保持，1996（5）
10　吴以敩等．略论黄河流域水土保持基本概念．人民黄河，1981（6）：45～47
11　张胜利等．水土保持减水减沙效益计算方法．北京：中国环境科学出版社，1994
12　张胜利等．黄河中游多沙粗沙区水沙变化原因及发展趋势．郑州：黄河水利出版社，1998
13　唐克丽．黄河流域的侵蚀与径流泥沙变化．北京：中国科学技术出版社，1993
14　龚时旸．黄河流域黄土高原的土壤侵蚀问题．人民黄河，1991（4）：38～43

第四章　重点治理区的措施配置

第一节　治理区的划分

一、划分的原则和方法

（1）由于黄土高原的水土流失主要来自侵蚀强度$\geq 5\,000t/(km^2 \cdot a)$的多沙区（占总流失量的84.6％），因此，黄土高原水土流失的治理重点应该是上述地区。根据黄土高原292个侵蚀产沙单元1955～1969年的侵蚀强度，将侵蚀强度$\geq 5\,000t/(km^2 \cdot a)$的侵蚀单元所组成的区域作为黄土高原的主要产沙区（面积14.7万km^2）。为了保持区域的完整性，将其临近一些小于$5\,000t/(km^2 \cdot a)$的侵蚀单元也并入区域（面积1.4万km^2）；而对于分布在渭河上游和秦岭北麓、汾河上中游个别大于等于$5\,000t/(km^2 \cdot a)$的侵蚀单元（面积1.2万km^2），由于距离主要产沙区较远，且为零星分布，因此，这部分面积未包括在内。最后确定的黄土高原重点治理区（主要产沙区）面积共14.9万km^2。

（2）在黄土高原主要产沙区域划分的基础上，以侵蚀类型为重要因素，并考虑植被气候带和治理区的完整性。

（3）考虑到整体措施的布设，各治理区按照"流域＋侵蚀类型区"进行命名，前者考虑了以流域为单元的治理特点，后者考虑了不同类型区措施布设的差异性，这样既保证了流域的完整性，又兼顾了流域内不同类型区措施的配置特点。

（4）治理区划分后，分别统计各治理区的坡度分级、社会经济状况和水土保持进展情况。坡度分级是依据各治理区的所辖县范围，及各县在各治理区的面积比例，将"七五"黄土高原地区综合治理开发研究提供的《中国黄土高原地区地面坡度分级数据集》和《中国黄土高原地区耕地坡度分级数据集》中的各县数据资料，分配到各治理区；土地利用现状资料是根据"七五"国家科技攻关《黄土高原地区资源与环境遥感调查数据集》提供的有关数据；社会经济状况和水土保持进展情况的数据是根据黄河上中游管理局提供的黄河上中游地区1992年末有关社会经济和水土保持进展（分县统计资料）数据进行统计的，未包括的县是根据水利部黄委会黄河上中游管理局计财处提供的《黄河流域水土保持流失区水土保持基本资料汇编（1989～1990年）》中1990年的统计数据进行插补的。

二、划分结果

根据上述原则，将黄土高原主要产沙区划分为10个治理区：窟野河、黄甫川上游风沙草原区；河曲至头道拐黄土平岗丘陵沟壑区；河曲至吴堡黄土峁状丘陵沟壑区；清涧河、无定河和三川河中下游黄土峁状丘陵沟壑区；延河、昕水河、汾川河黄土梁状丘陵沟壑区；西北部风沙黄土丘陵沟壑区；泾河、北洛河上游干旱黄土丘陵沟壑区；泾河中下游黄土高塬沟壑区;祖厉河、清水河上游黄土高原沟壑区;渭河上游黄土高原沟壑区。各治理区的面积大小及空间分布如图4-1和表4-1所示。

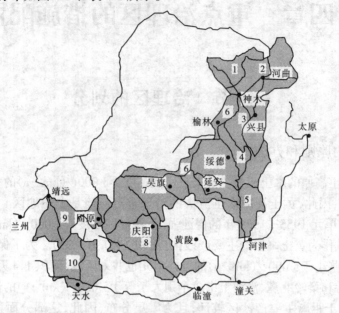

图4-1 黄土高原不同治理区的划分

表4-1   黄土高原不同治理区的面积与分布

治 理 区	面积(km²)	涉 及 的 县(市、旗)
1 窟野河、黄甫川上游风沙草原区	6 574.2	准旗、府谷、神木、伊旗、东胜的部分地区
2 河曲至头道拐黄土平岗丘陵沟壑区	13 091.9	和林格尔、右玉、平鲁、朔州、神池、偏关、清水河、准旗、府谷、神木、河曲的部分地区
3 河曲至吴堡黄土峁状丘陵沟壑区	16 073.5	佳县及神池、五寨、偏关、河曲、保德、岢岚、府谷、兴县、神木、榆林、临县、米脂、绥德、柳林、吴堡、离石的部分地区
4 清涧河、无定河和三川河中下游黄土峁状丘陵沟壑区	20 125.3	子洲、清涧以及榆林、米脂、横山、绥德、吴堡、柳林、离石、方山、中阳、靖边、子长、石楼、延川、永和、隰县、安塞的部分地区
5 延河、昕水河、汾川河黄土梁状丘陵沟壑区	15 636.7	延长、大宁以及靖边、安塞、子长、延川、永和、隰县、延安、蒲县、宜川、吉县、乡宁、韩城、河津、志丹的部分地区
6 西北部风沙黄土丘陵沟壑区	7 809.1	神木、榆林、横山、靖边、安塞、吴旗、定边、盐池、环县的部分地区
7 泾河、北洛河上游干旱黄土丘陵沟壑区	17 835.8	吴旗、靖边、志丹、定边、环县、华池、合水、庆阳、镇原、彭阳、固原的部分地区
8 泾河中下游黄土高原沟壑区	23 742.2	西峰、泾川、长武以及华池、庆阳、合水、彭阳、镇原、平凉、华亭、崇信、宁县、灵台、正宁、彬县、旬邑、永寿、乾县、淳化、礼泉、泾阳、耀县、铜川、富平的部分地区
9 祖厉河、清水河上游黄土高原沟壑区	13 641.1	靖远、会宁、定西、海源、西吉、通渭、固原、环县的部分地区
10 渭河上游黄土高原沟壑区	14 472.6	秦安及会宁、通渭、静宁、隆德、庄浪、甘谷、张家川、清水、天水、武山的部分地区

第二节　不同治理区的侵蚀环境特征

一、各治理区的土壤流失状况

表 4-2 和表 4-3 分别是按照 1955～1969 年(治理前)和 1970～1989 年(治理期)两个时段分别统计计算的各治理区侵蚀强度和产沙量。

表 4-2   不同治理区的侵蚀强度

治理区	面积 （km²）	侵蚀强度 〔t/(km²·a)〕		治理区侵蚀强度 全区侵蚀强度	
		1955～ 1969 年	1970～ 1989 年	1955～ 1969 年	1970～ 1989 年
1 窟野河、黄甫川上游风沙草原区	6 574.2	9 493.7	9 146.7	1.51	2.33
2 河曲至头道拐黄土平岗丘陵沟壑区	13 091.9	12 170.7	9 551.1	1.93	2.43
3 河曲至吴堡黄土峁状丘陵沟壑区	16 073.5	18 468.5	11 178.8	2.93	2.85
4 清涧河、无定河和三川河中下游黄土峁状 丘陵沟壑区	20 125.3	15 337.0	7 251.3	2.43	1.85
5 延河、昕水河、汾川河黄土梁状丘陵沟壑区	15 636.7	12 103.1	6 857.8	1.92	1.75
6 西北部风沙黄土丘陵沟壑区	7 809.1	7 562.5	3 744.8	1.20	0.95
7 泾河、北洛河上游干旱黄土丘陵沟壑区	17 835.8	11 895.5	8 313.9	1.89	2.12
8 泾河中下游黄土高塬沟壑区	23 742.2	8 300.5	5 851.5	1.32	1.49
9 祖厉河、清水河上游黄土高塬沟壑区	13 641.1	6 314.1	3 599.3	1.00	0.92
10 渭河上游黄土高塬沟壑区	14 472.6	9 626.6	6 011.3	1.53	1.53

注：黄土高原全区平均侵蚀强度 1955～1969 年为 6 302.1t/(km²·a)；1970～1989 年为 3 928.4 t/(km²·a)。

由表 4-2、表 4-3 可以看出：

(1)在 10 个治理区中,以河曲至吴堡黄土峁状丘陵沟壑区和清涧河、无定河、三川河中下游黄土峁状丘陵沟壑区两区的土壤侵蚀最为严重,在未治理前,侵蚀强度均超过 15 000t/(km²·a),其产沙量占全区总产沙量的比例也分别超过 15%；其次,河曲至头道拐黄土平岗丘陵沟壑区,延河、昕水河、汾川河黄土梁状丘陵沟壑区和泾河、北洛河上游干旱黄土丘陵沟壑区三区的土壤侵蚀也很严重,侵蚀强度分别超过 10 000t/(km²·a),产沙量占全区总产沙量的比例也接近或超过 10%；在 10 个治理区中,以西北部风沙黄土丘陵沟壑区和祖厉河、清水河上游黄土高塬沟壑区两区的土壤侵蚀强度相对较小,侵蚀强度在 6 000～7 000t/(km²·a)之间,产沙量占全区总产沙量的比例也只有 3%～4%。

(2)按照 1970～1989 年(治理期)各治理区的侵蚀强度计算结果,侵蚀强度超过

10 000t/(km² · a)的只有河曲至吴堡黄土峁状丘陵沟壑区;7 500~10 000t/(km² · a)的共有窟野河、黄甫川上游风沙草原区,河曲至头道拐黄土平岗丘陵沟壑区和泾河、北洛河上游干旱黄土丘陵沟壑区三个区;5 000~7 500t/(km² · a)的共有4个区,包括清涧河、无定河、三川河中下游黄土峁状丘陵沟壑区,延河、昕水河、汾川河黄土梁状丘陵沟壑区,泾河中下游黄土高塬沟壑区和渭河上游黄土高塬沟壑区;其余西北部风沙黄土丘陵沟壑区和祖厉河、清水河上游黄土高塬沟壑区两个区的侵蚀模数只有3 000~4 000t/(km² · a)多。

表 4-3 不同治理区的产沙量

治理区	面积(km²)	年平均产沙量 (万 t)		占全区总产沙量的比例 (%)	
		1955~ 1969 年	1970~ 1989 年	1955~ 1969 年	1970~ 1989 年
1 窟野河、黄甫川上游风沙草原区	6 574.2	6 241.4	6 013.2	3.2	4.9
2 河曲至头道拐黄土平岗丘陵沟壑区	13 091.9	15 933.8	12 504.8	8.2	10.3
3 河曲至吴堡黄土峁状丘陵沟壑区	16 073.5	29 685.3	17 968.2	15.2	14.8
4 清涧河、无定河和三川河中下游黄土峁状丘陵沟壑区	20 125.3	30 866.2	14 593.5	15.8	12.0
5 延河、昕水河、汾川河黄土梁状丘陵沟壑区	15 636.7	18 925.3	10 723.3	9.7	8.8
6 西北部风沙黄土丘陵沟壑区	7 809.1	5 905.6	2 924.4	3.0	2.4
7 泾河、北洛河上游干旱黄土丘陵沟壑区	17 835.8	21 216.6	4 828.5	10.9	12.2
8 泾河中下游黄土高塬沟壑区	23 742.2	19 707.1	13 892.6	10.1	11.4
9 祖厉河、清水河上游黄土高塬沟壑区	13 641.1	8 613.1	4 909.8	4.4	4.0
10 渭河上游黄土高塬沟壑区	14 472.6	13 932.1	8 700.0	7.1	7.1

注:黄土高原全区年平均产沙量1955~1969 年为195 430.6 万 t;1970~1989 年为121 821.3 万 t。

(3)根据治理期的年均侵蚀强度,可将黄土高原分为4个强烈侵蚀治理区:窟野河、黄甫川上游风沙草原区,河曲至头道拐黄土平岗丘陵沟壑区,河曲至吴堡黄土峁状丘陵沟壑区和泾河、北洛河上游干旱黄土丘陵沟壑区;4个强度侵蚀治理区:清涧河、无定河、三川河中下游黄土峁状丘陵沟壑区,延河、昕水河、汾川河黄土梁状丘陵沟壑区,泾河中下游黄土高塬沟壑区和渭河上游黄土高塬沟壑区;2个中度侵蚀治理区:西北部风沙黄土丘陵沟壑区和祖厉河、清水河上游黄土高塬沟壑区。

二、各治理区的侵蚀环境特征

(一)窟野河、黄甫川上游风沙草原区

该区面积6 574.2km²,位于鄂尔多斯高原,属温带干旱地区。干旱少雨,年降水量在300~350mm 之间。风大沙多,年均风速2~3.6m/s,大风日数10~35 天,最多可达95天。由于受沙漠南侵的影响,植被已逐渐被沙生植物取代,群落种类贫乏,结构简单,覆盖

率低,为荒漠草原带。植被的空间分布与降雨量、土壤含水量,以及人类活动密切相关,分布有沙柳、乌柳、沙蒿、沙竹等流沙地带先锋植物。

该区地貌类型主要有黄土丘陵、剥蚀平原、流动沙丘、半固定沙丘和平缓沙地等,分布面积以前三者为主,分别占区内总面积的 39.4%、23.5% 和 11.8%。该区地面较为平坦,坡度<3°的面积占总土地面积的 53.2%,坡度<15°的面积占总土地面积的 95.2%。以坡度<7°的耕地占总耕地面积的 77%,其中梯条田占 2.5%,坡度<3°的耕地占 40.8%,3°~7°的耕地占 33.7%;坡度>15°的耕地只有 3%。

土壤类型有黄绵土、淡栗钙土和半固定风沙土等,分布面积分别占总面积的 35.3%、17.6% 和 23.5%。该区风蚀强烈,水蚀轻微,以坡面面状侵蚀为主。

(二)头道拐至河曲黄土平岗丘陵沟壑区

该区分布于陕、晋、蒙三省的交界处,面积 13 092.5km²。年降水量在 400mm 左右,属典型的草原地带。

地貌类型有黄土丘陵、岩溶作用的中山和流水作用的中山、平缓沙地、流动沙丘和固定沙丘等,而主要的地貌类型为黄土丘陵、岩溶作用的中山、流水作用的中山,面积分别占总面积的 44.6%、21.4% 和 17.9%。地面坡度主要由 7°~25°组成,占总土地面积的 63%,坡度<3°的面积占总土地面积的 32.8%,坡度>25°的占 4.2%。耕地的坡度组成较利于农业生产,坡度<7°的耕地面积占总耕地面积的 61.4%,其中,梯条田占 8.8%,坡度<3°的耕地占 22.4%,3°~7°的耕地占 30.2%。若以 15°作为退耕还林还草的界限,坡度>15°的耕地仅占 12.9%。

该区的土壤类型主要有黄绵土、褐土、黑垆土和半固定的风沙土等,分别占该区总面积的 46.4%、21.4%、17.9% 和 2.1%。

该区水蚀、风蚀都很强烈,流水的面状、沟状侵蚀均较强烈,并有一定的重力侵蚀。

(三)河曲至吴堡黄土峁状丘陵沟壑区

该区分布于河曲至吴堡区间的黄河两侧,面积 16 074.4km²,沟深坡陡,地面支离破碎。年降水量 400~500mm 之间,属典型草原带。

该区主要分布有黄土峁状丘陵、黄土梁峁丘陵、黄土峁梁丘陵、黄土破碎塬和黄土垌地等地貌类型,面积分别为总面积的 27.8%、27.8%、16.7%、13.9% 和 3.3%。地面坡度为 15°~25°的面积占 45.5%,坡度>25°的面积占 12.1%,坡度<3°的平坦地为 17.5%。基本农田面积为总耕地面积的 19.3%,坡度>15°的耕地占 27.4%。

土壤以黄绵土为主,占总面积的 76.4%,还有少量的褐土、棕壤和黑垆土分布,面积分别占总面积的 8.3%、5.6% 和 9.7%。

该区水力侵蚀严重,沟谷坡崩塌、泻溜普遍,春季风蚀较为明显。

(四)清涧河、无定河、三川河中下游黄土峁状丘陵沟壑区

该区分布于清涧河、无定河和三川河的中下游地区,面积 20 125.3km²。年降水量在 450~500mm 之间,属于森林草原带。

地貌类型有黄土梁峁丘陵、黄土峁梁丘陵、黄土破碎塬、黄土峁丘陵和冲积平原等,黄土梁峁丘陵为该区的主要地貌类型,其分布面积占全区的 46.8%。该区地面坡度较大,坡度>15°的面积占总土地面积的 69.9%,其中坡度>25°的面积就占了 49.5%。在耕地

中,坡度＜7°耕地占总耕地面积的27.4%,其中梯条田占17.1%;坡度＞15°的耕地占46.2%。

该区只有黄绵土和褐土两种土壤类型,且以黄绵土为主,占全区面积的93.6%。

该区坡面及沟谷的水力侵蚀、各种重力侵蚀均较普遍,而且强度较大。此外,潜蚀、动物侵蚀也屡见不鲜,西北部春季风蚀较为明显。

(五)延河、昕水河、汾川河黄土梁状丘陵沟壑区

该区位于延河、昕水河和汾川河流域,面积15 636.7km²。年降水量在500～550mm之间,本区延安的西北部为森林草原带,东南部为森林带。

地貌类型有黄土峁梁丘陵、黄土梁状丘陵、黄土破碎塬,以及流水作用的中山和黄土塬等,前三者为本区的主要地貌类型,分别占总面积的29.7%、14.9%和18.9%。该区坡度＞15°的土地占总土地面积的75.9%,其中坡度＞25°的占53.3%;坡度＜3°的平地只有7.1%。坡度＞15°的耕地占总耕地的42.4%,基本农田面积占13.7%。

本区分布的土壤类型较多,有黄绵土、褐土、灰褐土、棕壤、油娄土和两合土等,但黄绵土为该区的主要土壤类型,其分布面积为全区的86.5%。

该区沟壑下切、侧蚀、溯源侵蚀强烈,各种重力侵蚀到处可见,塬边潜蚀溶蚀明显,塬面侵蚀轻微。

(六)西北部风沙黄土丘陵沟壑区

该区面积7 809.1km²,主要分布于长城沿线,由于北临沙漠,地表常被流沙所覆盖,属于典型草原带,年降水量接近400mm。

地貌类型较多,有黄土覆盖的低山、流动沙丘、黄土塬、黄土破碎塬、黄土梁丘陵和固定沙丘等,但以黄土覆盖的低山、流动沙丘为主,分别占总面积的22.5%和20.0%。本区地面坡度组成以坡度＜15°为主,占总土地面积的67.6%,其中坡度＜3°的土地就占46.1%;在耕地中,梯条田只占总耕地面积的5.6%,坡度＜3°的耕地占24.1%,坡度＞15°的耕地占总耕地面积的29.9%。

该区分布有三种土壤类型,即黄绵土、灰褐土和黑垆土,分别占总面积的77.0%、8.0%和15%。

该区风蚀明显,水力侵蚀严重,流水的面状、沟状侵蚀强烈,沟谷坡崩塌、泻溜较为普遍。

(七)泾河、北洛河上游干旱黄土丘陵沟壑区

该区位于泾河和北洛河流域的上游地区,面积17 835.8km²。年降水量500mm左右,属于森林草原带。

地貌类型有黄土梁状丘陵、黄土塬、黄土覆盖的低山、黄土破碎塬和黄土峒地等,黄土梁状丘陵是本区主要的地貌类型,分布面积占全区的62.0%。本区坡度＞15°的土地占69.3%,其中15°～25°的占42.9%,坡度＞25°的占26.4%。在总耕地中,坡度＜15°的耕地占总耕地面积的68.5%,其中,梯条田、坡度＜3°的耕地、3°～7°的耕地和7°～15°的耕地分别占耕地总面积的12.4%、19.7%、7.2%和29.2%;坡度＞15°的耕地占总耕地面积的31.5%。

黄绵土是该区的主要土壤类型,分布面积为全区总面积的92.3%,还有少量的灰褐土和黑垆土分布。

该区的北部风蚀明显,流水的面状、沟状侵蚀均较强烈,尚有一定的重力侵蚀;南部流水的面状侵蚀、切沟、小冲沟侵蚀,以及沟谷底塌岸侵蚀均较普遍。

(八)泾河中下游黄土高塬沟壑区

该区位于泾河的中下游地区,面积 23 742.2km²。年降水量 520mm 左右,西峰的西北部属于森林草原带,西峰的东南部属于森林带。

本区主要的地貌类型为黄土塬,分布面积占总面积的 64.6%,还有黄土覆盖的低山、黄土破碎塬、黄土台塬和黄土梁丘陵等,面积分别占总面积的 10.4%、8.0%、3.1% 和1.5%。该区坡度 <3°、3°~7°、7°~15°、15°~25° 和坡度 >25° 各级土地面积占总土地的比例分别为 26.7%、4.8%、13.0%、35.1% 和 20.4%。耕地以坡度 <3° 的为主,占 66.5%,其中梯条田占 36.1%,坡度 <3° 的耕地占 30.4%;3°~7° 和 7°~15° 的耕地分别占 7.2% 和29.2%;坡度 >15° 的耕地占 31.4%。

该区分布有黄绵土、黑垆土和褐土等土壤类型,分别占全区总面积的 60.4%、25.0% 和8.3%。

该区黄土深厚,多超过 100m,沟壑下切、侧蚀、溯源侵蚀强烈,沟谷陡峻,各种重力侵蚀到处可见,塬边潜蚀溶蚀明显,塬面侵蚀轻微。

(九)祖厉河、清水河上游黄土高塬沟壑区

该区位于祖厉河和清水河流域的上游地区,面积 13 641.1km²。年降水量在 250~350mm 之间,属于典型草原带。

该区地貌类型复杂,有黄土峁状丘陵、黄土梁状丘陵、黄土塬、流水作用的中山、冲积平原、黄土峒地等,其中以黄土丘陵、黄土塬和流水作用的中山分布面积较广,分别占全区总面积的 48.5%、14.5% 和 9.1%。本区坡度 7°~15° 和 15°~25° 的土地面积较大,占总土地面积的 30.0% 和 27.8%;坡度 <3° 和 >25° 的土地各占 17.0% 和 17.8%;坡度 3°~7° 的土地面积较小,占总土地面积的 7.5%。耕地中,坡度 3°~7° 和 >15° 的耕地面积分别占总耕地面积的 10.3% 和 5.6%,梯条田、<3°、7°~15° 坡度等级的耕地均在 20% 左右。

该区的土壤类型多样,有灰钙土、黄绵土、黑垆土、灌淤澄土、灰褐土和灌淤潮土等,其中黄绵土、灰钙土、黑垆土的分布面积较大,分别占总面积的 29.0%、22.6% 和 23.9%。

该区流水的面状侵蚀、沟状侵蚀均较强烈,也存在一定的重力侵蚀;风力侵蚀明显。

(十)渭河上游黄土高塬沟壑区

该区位于渭河上游的天水、秦安、清水、甘谷、通渭和静宁一带,面积 14 472.6km²。年降水量 500mm 左右,属于森林草原带。

地貌类型以黄土峁丘陵为主,面积比例为 75.8%;流水作用的中山的分布面积相对较大,占总面积的 15.2%。该区的地面坡度组成以 7°~15° 和 15°~25° 的土地为主,分别为总土地面积的 41.0% 和 30.1%,坡度 >25° 的土地占 15.3%。本区的梯条田面积较大,占总耕地面积的 32.1%;坡度 >15° 的耕地占 28.9%。

该区的土壤有黄绵土、黑垆土和褐土等,面积比例分别为 48.5%、11.6% 和 20%。该区坡面长,其上既有流水的面状侵蚀,也有切沟、小冲沟侵蚀;在沟谷底塌岸侵蚀较为普遍。

各治理区的侵蚀环境特征与地面、耕地的坡度组成见表 4-4 和表 4-5。

表 4-4 不同治理区侵蚀环境特征

治 理 区	年降水量（mm）	主要土壤类型	主要地貌类型	植 被 带	主要土壤侵蚀方式
1 窟野河、黄甫川上游风沙草原区	300～350	黄绵土栗钙土	黄土丘陵剥蚀平原流动沙丘	荒漠草原带	风力侵蚀为主
2 河曲至头道拐黄土平岗丘陵沟壑区	380～430	黄绵土褐土、黑垆土	黄土丘陵中山	典型草原带	面状、线状水蚀—风蚀
3 河曲至吴堡黄土峁状丘陵沟壑区	400～500	黄绵土	黄土丘陵黄土峁梁丘陵黄土破碎塬	典型草原带	面状、线状水蚀—崩塌、泻溜—风蚀
4 清涧河、无定河和三川河中下游黄土峁状丘陵沟壑区	400～500	黄绵土	黄土梁峁丘陵黄土峁梁丘陵黄土破碎塬	森林草原带	面状、线状水蚀—崩塌、泻溜—风蚀；面状、线状水蚀—滑坡、崩塌、泻溜—潜蚀
5 延河、昕水河、汾川河黄土梁状丘陵沟壑区	510～550	黄绵土	黄土峁梁丘陵黄土梁丘陵黄土破碎塬	延安的东南部为森林带；西北部为森林草原带	沟谷水蚀—滑坡、崩塌、泻溜—潜蚀
6 西北部风沙黄土丘陵沟壑区	350～400	黄绵土黑垆土	黄土覆盖的低山	典型草原带	面状、线状水蚀—风蚀；面状、线状水蚀—崩塌、泻溜—风蚀
7 泾河、北洛河上游干旱黄土丘陵沟壑区	450～550	黄绵土	黄土梁丘陵黄土塬黄土破碎塬	森林草原带	面状、线状水蚀—崩塌、泻溜—风蚀；面状、线状水蚀—谷底塌岸侵蚀
8 泾河中下游黄土高塬沟壑区	500～600	黄绵土黑垆土	黄土塬黄土覆盖的低山	西峰的西北部为森林草原带；东南部为森林带	沟谷水蚀—滑坡、崩塌、泻溜—潜蚀
9 祖厉河、清水河上游黄土高塬沟壑区	300～400	灰钙土黄绵土	黄土丘陵黄土塬	典型草原带	面状、线状水蚀—风蚀
10 渭河上游黄土高塬沟壑区	450～500	黄绵土黑垆土灰褐土	黄土丘陵流水作用的中山	森林草原带	面状、线状水蚀—谷底塌岸侵蚀

表 4-5 不同治理区地面与耕地坡度组成 （%）

治理区	地面坡度分级					耕地坡度分级					
	<3°	3°～7°	7°～15°	15°～25°	>25°	梯条田	<3°	3°～7°	7°～15°	15°～25°	>25°
1	53.2	18.6	23.5	4.5	0.3	2.5	40.8	33.7	20.0	2.5	0.5
2	19.4	13.4	37.3	25.7	4.2	8.8	22.4	30.2	25.6	10.3	2.6
3	17.5	4.4	20.5	45.5	12.1	19.3	9.4	7.1	27.0	28.3	8.9
4	13.4	2.5	14.1	20.4	49.5	17.1	6.3	4.0	25.3	25.8	21.4
5	7.1	4.3	12.8	22.6	53.3	13.7	10.0	8.5	25.3	28.6	13.8
6	46.1	4.9	16.6	24.6	7.9	5.6	24.1	9.8	30.7	25.2	4.7
7	11.0	2.8	17.0	42.9	26.4	12.4	19.7	7.2	29.2	20.9	10.5
8	26.7	4.8	13.0	35.1	20.4	36.1	30.4	6.6	9.5	11.3	6.1
9	17.0	7.5	30.0	27.8	17.8	19.8	20.5	10.3	22.9	20.9	5.6
10	10.8	2.7	41.0	30.1	15.3	32.1	13.3	3.3	22.4	23.6	5.3

第三节 不同治理区的社会经济特征

表 4-6、表 4-7、表 4-8、表 4-9 和表 4-10 为 10 个治理区的社会经济状况、土地利用现状和水土保持进展情况。

表 4-6 不同治理区的社会经济状况

治理区	面积 (km²)	总人口 (万人)	农业人口 (万人)	在册总耕地 (万 hm²)	粮食播种面积 (万 hm²)	总产量 (万 t)	单产 (kg/hm²)	农民人均产粮 (kg)	农民人均纯收入 (元)
1	6 574.5	20.4	16.4	4.28	3.37	3.7	1 108.5	227.7	356.1
2	13 091.8	64.8	57.1	20.60	16.30	18.4	1 126.5	321.3	431.6
3	16 073.5	151.3	138.5	30.88	23.95	30.4	1 267.5	219.3	379.7
4	20 125.5	209.5	188.3	37.63	34.94	40.0	1 143.0	212.2	378.5
5	15 636.8	104.4	87.2	16.68	15.61	36.1	2 313.0	414.0	475.8
6	7 809.9	34.0	30.0	8.23	7.12	8.9	1 252.5	297.0	434.4
7	17 835.8	83.5	77.8	24.88	19.29	22.9	1 185.0	294.0	436.5
8	23 742.3	377.6	324.4	64.09	62.69	126.6	2 020.5	390.3	494.6
9	13 641.3	105.6	98.0	27.71	20.39	22.6	1 110.0	230.9	382.2
10	14 472.5	297.2	274.6	52.72	43.76	76.0	1 735.5	276.6	408.2
Σ	149 003.9	1 448.3	1 292.3	287.72	247.43	385.6	1 426.5	288.4	417.8

注:1992 年末统计数据。

表 4-7 不同治理区土地利用现状(耕地) (单位:km²)

治理区	总面积	水田	水浇地	旱地				合计
				川沟旱地	台塬旱地	平旱地	坡旱地	
1	6 574.4	0.5	75.3	64.8	0	270.7	431.4	842.7
2	13 092.5	1.4	248.6	207.5	33.6	307.7	2 551.6	3 350.4
3	16 074.4	4.7	214.7	238.1	9.0	204.8	4 395.0	5 066.3
4	20 126.5	7.0	281.5	240.7	19.5	44.3	7 325.7	7 918.8
5	15 637.6	2.6	138.0	294.7	327.2	11.5	3 958.5	4 732.5
6	7 810.3	6.6	127.3	66.3	11.7	228.1	1 311.3	1 751.3
7	17 836.7	0	113.0	181.0	66.1	147.3	3 505.0	4 012.5
8	23 743.8	0	919.4	264.7	2 961.1	25.5	4 536.4	8 707.1
9	13 641.9	5.5	413.2	175.3	107.5	387.9	4 110.6	5 200.1
10	14 473.1	0	402.7	249.4	5.2	18.1	6 295.0	6 970.3
Σ	149 011.2	28.3	2 933.7	1 982.5	3 540.9	1 645.9	38 420.5	48 552.0

注:1986 年统计数据。

表 4-8

不同治理区土地利用现状(林草地) （单位:km²）

治理区	总面积	园地	林地				牧草地	
			幼林地	灌木林	疏林地	合计	可利用草地	合计
1	6 574.4	4.3	111.6	369.0	35.5	516.1	3 098.2	3 383.2
2	13 092.5	14.6	385.9	679.1	98.1	1 163.1	4 273.9	4 913.9
3	16 074.4	61.9	633.1	1 222.9	104.3	1 960.3	4 256.0	4 657.6
4	20 126.5	143.3	889.1	1 340.2	292.4	2 521.6	4 036.9	4 635.8
5	15 637.6	98.7	1 714.8	1 034.2	393.7	3 142.8	3 875.9	4 388.0
6	7 810.3	17.2	188.1	980.5	62.6	1 231.3	3 183.7	3 432.3
7	17 836.7	52.2	760.7	457.7	161.9	1 380.4	7 453.8	8 346.9
8	23 743.8	252.6	2 203.7	562.5	536.6	3 302.8	5 628.5	6 411.9
9	13 641.9	11.7	246.5	64.1	37.9	348.6	5 183.4	5 820.7
10	14 473.1	57.2	1 368.0	362.4	226.8	1 957.2	1 621.4	1 949.1
Σ	149 011.2	713.7	8 501.5	7 072.6	1 949.8	17 524.2	42 611.7	47 939.4

注:1986 年统计数据。

表 4-9

不同治理区土地利用现状(其他用地) （单位:km²）

治理区	总面积	居民工矿用地	交通用地	水域	盐碱地	沙地	裸岩、石砾地	其他
1	6 574.4	38.4	18.7	182.4	0.5	417.2	15.8	1 155.2
2	13 092.5	194.0	72.3	242.4	0.4	355.4	183.3	2 602.7
3	16 074.4	381.4	127.5	302.5	2.3	392.7	579.4	2 542.5
4	20 126.5	416.7	262.6	308.0	7.0	450.0	466.3	2 996.3
5	15 637.6	262.6	192.1	266.1	1.2	7.3	176.7	2 369.6
6	7 810.3	94.4	90.1	122.7	13.2	523.3	81.2	453.3
7	17 836.7	210.3	186.1	165.6	4.2	11.9	44.4	3 422.2
8	23 743.8	1 051.4	320.8	293.8	2.5	0	114.2	3 286.9
9	13 641.9	374.1	144.3	177.1	1.6	0	20.0	1 543.3
10	14 473.1	428.1	242.0	422.2	0	0	163.8	2 283.2
Σ	149 011.2	3 451.4	1 656.5	2 482.8	32.9	2 157.8	1 845.5	22 655.2

注:1986 年统计数据。

从表 4-6~表 4-10 可以看出:

(一)窟野河、黄甫川上游风沙草原区

该区涉及准格尔旗、府谷、神木、伊金霍洛旗和东胜的部分地区。总人口 20.4 万,其中农业人口 16.4 万。总耕地面积 4.28 万 hm²,粮食播种面积 3.37 万 hm²,占总耕地的 78.8%;基本农田共 1.24 万 hm²,占总耕地面积的 28.9%,人均基本农田 0.073hm²。该区平均公顷产量 1 108.5kg,人均粮食 227.7kg,人均纯收入 356.1 元。

表 4-10　　　　　　　　　　　不同治理区水土保持进展　　　　　　　　　　　（单位：km²）

治理区	水土流失面积	治理面积	治理程度（％）	基本农田				水土保持林				人工种草
				梯条埂	坝地	其他	小计	用材林	经济林	灌木林	小计	
1	6 299.5	3 134.7	49.8	44.1	35.8	39.5	119.4	1 163.2	9.6	1 281.2	2 454.1	561.4
2	11 815.6	5 567.4	47.1	470.1	87.3	91.3	648.8	1 566.6	132.2	1 942.5	3 894.6	936.0
3	12 787.9	6 702.3	52.4	1 287.5	132.4	165.9	1 585.6	1 358.1	569.0	1 824.6	3 759.8	776.4
4	17 349.0	10 863.4	62.6	1 915.2	245.7	282.0	2 439.8	1 974.1	1 173.0	3 591.3	6 857.4	1 456.5
5	12 973.3	6874.9	53.0	918.7	132.3	81.0	1 131.6	2 124.0	600.3	1 171.9	3 938.2	1 462.2
6	6 485.1	2 829.6	43.6	150.1	32.1	179.9	362.1	420.0	93.4	1 406.8	1 920.2	547.5
7	16 624.1	5 192.9	31.2	878.3	34.7	183.1	1 004.1	1 028.2	245.7	1 281.0	2 554.9	1 634.0
8	21 693.2	9 336.4	43.0	3 619.6	16.5	176.3	3 808.8	2 752.1	277.9	736.9	4 210.0	1 303.2
9	11 690.7	3 799.6	32.5	1 160.0	57.0	118.4	1 317.6	785.0	12.8	463.1	1 288.3	1 155.7
10	12 627.0	6 994.9	55.4	2 950.1	4.7	13.4	2 968.2	1 455.8	81.1	680.3	2 610.5	1 438.8

注：1992 年末统计数据。

该区土地利用以牧业为主，农、林、牧及其他的比例为 13∶8∶51∶28。治理度为 49.8％，其中基本农田、水土保持林和人工种草的面积分别占总治理面积的 3.8％、78.3％和 17.9％。

(二)河曲至头道拐黄土平岗丘陵沟壑区

该区总人口 64.8 万，农业人口 57.1 万。总耕地面积 20.60 万 hm²，粮食播种面积 16.3 万 hm²，占总耕地的 79.1％；基本农田 8.79 万 hm²，占总耕地面积的 42.7％，人均基本农田 0.153hm²。该区平均公顷产量 1 126.5kg，人均粮食 321.3kg，人均纯收入 431.6 元。

该区农、林、牧及其他的土地利用比例为 26∶9∶37∶28。治理度为 47.1％，其中基本农田、水土保持林和人工种草的面积分别占总治理面积的 12.0％、71.0％和 17.0％。

(三)河曲至吴堡黄土峁状丘陵沟壑区

该区总人口 151.3 万，农业人口 138.5 万。总耕地面积 30.88 万 hm²，粮食播种面积 23.95 万 hm²，占总耕地的 77.6％；基本农田 17.23 万 hm²，占总耕地面积的 55.8％，人均基本农田 0.127hm²。每公顷产量 1 267.5kg，人均粮食 219.3kg，人均纯收入 379.7 元。

该区农、林、牧及其他的土地利用比例为 32∶12∶29∶27。治理度为 52.4％，其中基本农田、水土保持林和人工种草的面积分别占总治理面积的 23.7％、56.1％和 11.6％。

(四)清涧河、无定河、三川河中下游黄土峁状丘陵沟壑区

该区总人口 209.5 万，农业人口 188.3 万。总耕地面积 37.63 万 hm²，粮食播种面积 34.94 万 hm²，占总耕地的 92.8％；基本农田 24.8 万 hm²，占总耕地面积的 65.9％，人均基本农田 0.133hm²。该区平均公顷产量 1 143kg，人均粮食 212.2kg，人均纯收入 378.5 元。

该区农、林、牧及其他的土地利用比例为 40∶13∶23∶24。治理度为 62.6％，其中基本农田、水土保持林和人工种草的面积分别占总治理面积的 22.5％、63.1％和 13.4％。

(五)延河、昕水河、汾川河黄土梁状丘陵沟壑区

该区总人口 104.4 万,农业人口 87.2 万。总耕地面积 16.68 万 hm²,粮食播种面积 15.61 万 hm²,占总耕地的 93.6%;基本农田 11.25 万 hm²,占总耕地面积的 67.4%,人均基本农田 0.127hm²。该区平均公顷产量 2 313kg,人均粮食 414.0kg,人均纯收入 475.8 元。

该区农、林、牧及其他的土地利用比例为 31:20:28:21。治理度为 53.0%,其中基本农田、水土保持林和人工种草的面积分别占总治理面积的 16.5%、57.3% 和 21.3%。

(六)西北部风沙黄土丘陵沟壑区

该区总人口 34.0 万,农业人口 30.0 万。总耕地面积 8.23 万 hm²,粮食播种面积 7.12 万 hm²,占总耕地的 86.5%;基本农田 2.63 万 hm²,占总耕地面积的 44.1%,人均基本农田 0.12hm²。该区平均公顷产量 1 252.5kg,人均粮食 297.2kg,人均纯收入 434.4 元。

该区农、林、牧及其他的土地利用比例为 23:16:43:18。治理度为 43.6%,其中基本农田、水土保持林和人工种草的面积分别占总治理面积的 12.8%、67.9% 和 19.3%。

(七)泾河、北洛河上游干旱黄土丘陵沟壑区

该区总人口 83.5 万,农业人口 77.8 万。总耕地面积 24.88 万 hm²,粮食播种面积 19.29 万 hm²,占总耕地的 77.5%;基本农田 10.74 万 hm²,占总耕地面积的 43.2%,人均基本农田 0.14hm²。该区平均公顷产量 1 185kg,人均粮食 294.0kg,人均纯收入 436.5 元。

该区农、林、牧及其他的土地利用比例为 23:8:46:23。治理度为 31.2%,其中基本农田、水土保持林和人工种草的面积分别占总治理面积的 19.3%、49.2% 和 31.5%。

(八)泾河中下游黄土高塬沟壑区

该区总人口 377.6 万,农业人口 324.4 万。总耕地面积 64.09 万 hm²,粮食播种面积 62.69 万 hm²,占总耕地的 97.8%;基本农田 40.75 万 hm²,占总耕地面积的 63.6%,人均基本农田 0.127hm²。该区平均公顷产量 2 020.5kg,人均粮食 390.3kg,人均纯收入 494.6 元。

该区农、林、牧及其他的土地利用比例为 38:14:27:21。治理度为 43.0%,其中基本农田、水土保持林和人工种草的面积分别占总治理面积的 40.8%、45.1% 和 14.0%。

(九)祖厉河、清水河上游黄土高塬沟壑区

该区总人口 105.6 万,农业人口 98.0 万。总耕地面积 27.71 万 hm²,粮食播种面积 20.39 万 hm²,占总耕地的 73.6%;基本农田 16.61 万 hm²,占总耕地面积的 60.0%,人均基本农田 0.167hm²。该区平均公顷产量 1 110kg,人均粮食 230.9kg,人均纯收入 382.2 元。

该区农、林、牧及其他的土地利用比例为 38:3:43:17。治理度为 32.5%,其中基本农田、水土保持林和人工种草的面积分别占总治理面积的 34.7%、33.9% 和 30.4%。

(十)渭河上游黄土高塬沟壑区

该区总人口 297.2 万,农业人口 274.6 万。总耕地面积 52.72 万 hm²,粮食播种面积 43.76 万 hm²,占总耕地的 83.0%;基本农田 30.5 万 hm²,为总耕地面积的 57.9%,人均基本农田 0.113hm²。每公顷产量 1 735.5kg,人均粮食 276.6kg,人均纯收入 408.2 元。

该区农、林、牧及其他的土地利用比例为 49:14:13:24。治理度为 55.4%,其中基本农田、水土保持林和人工种草的面积分别占总治理面积的 42.4%、37.3% 和 20.6%。

第四节　水土保持措施配置

水土保持措施的数量、质量及其分布状况,是水土保持措施减水减沙效益计算与土壤流失预测的基础,决定着计算与预测结果的精度与准确度。由于受统计方法、社会经济等诸多人为因素的影响,反映大面积水土保持措施状况的行政年报资料严重"失真",与实际情况出入很大,水土保持措施确切的减沙效益无法评估,更难以对未来的土壤流失发展趋势进行预测。因此,黄土高原区域水土保持措施减沙效益评价即对未来黄河泥沙的影响作用,应该建立在对不同治理区水土保持措施科学配置的基础上。

一、配置原则

(一)以减蚀为主要目标

黄土高原水土保持措施的主要作用是防止和减轻水土流失,减少入黄泥沙,其中坡面措施的作用是减沙,沟道措施的作用是拦沙。本次主要围绕减沙作用,进行坡面水土保持措施包括梯田和林草措施的配置。

(二)梯田的配置与耕地的坡度相结合

当坡度<3°时,地面平坦,适宜发展灌溉和机械作业,在排水系统比较健全的地区,一般不会发生明显的侵蚀,适宜发展种植业。坡度 3°~7°为平坡地,发生轻度土壤侵蚀,产生片蚀、面蚀及少量的纹沟和浅沟,易修筑田面较宽的梯田,适宜发展种植业。坡度 7°~15°为缓坡地,表土有明显流失现象,浅沟切割而发育成冲沟,水土流失比较严重,属中度侵蚀,需要加强水土保持措施,修筑水平梯田。坡度 15°~25°为斜坡地,表土基本流失,心土出露地表,冲沟发育,水土流失严重,修筑梯田费工投资大,田面窄,应修外高里低的反坡梯田,以防冲毁;有研究者认为,这个坡度范围应该退耕还林还草[1][2]。坡度>25°为陡坡地,水土流失剧烈,心土大部分流失,冲沟往往极为发育[3],地面破碎,不宜耕种;若修筑梯田,不仅耗劳多、易滑塌,而且加大了土地表面面积,使蒸发面积过大,梯田保墒失去了优越性[4]。因此,梯田措施主要配置在 3°~15°的坡地上。

(三)林草的配置遵循植被的地带分布规律

植被的地理分布受综合地理要素诸如气候、地形、土壤和土壤母质等条件的制约,集中反映于环境的水热条件。水热条件的不同组合,导致了气候、植被土壤等地理分布发生有规律的更替。黄土高原由东南向西北,依次分布着森林、森林草原、典型草原和荒漠草原四个植被带。在林草措施的配置上,按照植被的地带性选择林草措施的配置比例。经分析,不同植被带的林(含灌木)、草配置比例确定为:森林带为 8:2,森林草原带为 5:5,草原带为 2:8。

二、水土保持措施应治理面积的确定

(一)应治理总面积的确定

对于一个地区来说,并不是所有的土地都存在着严重的水土流失而需要治理,如地势较为平坦的地面、水域、居民和工矿用地及裸岩石砾地等。因此,在对治理区进行梯田、林地和草地的配置时,首先要确定该区的应治理的总面积,然后,在应治理总面积的范围内,来模拟配置梯田、林地和草地的不同组合。各治理区的应治理总面积的确定,是以各治理区的总土地面积减去居民工矿用地面积、交通用地面积、水域面积、裸岩石砾地面积和坡度<3°的耕地面积。

(二)梯田的应治理面积

以各治理区内3°～15°的坡耕面积之和作为梯田的应治理面积。

(三)林草的应治理面积

对于每一个治理区来说,应治理总面积减去梯田的治理面积就是林草的治理面积。由于各治理区所处区域位置的不同,林草的生长规律也存在空间分布上的差异性。所以,林草措施的配置应按照黄土高原的植被带进行配置。根据10个治理区的地域分布,治理区1、治理区2、治理区3、治理区6和治理区9属于草原带;治理区4、治理区5延安西北地区、治理区7、治理区8西峰西北地区、治理区10为森林草原带;治理区5延安东南地区和治理区8西峰东南地区属于森林带。

由此得到10个治理区应治理的总面积以及梯田、林地和草地的治理面积,见表4-11。据此,可按照不同治理程度,对梯田、林地和草地的面积进行组合配置。

表4-11　　　　　　　　　　　不同治理区应治理的面积　　　　　　　　　　　(单位:km²)

治理区	总面积	应 治 理 面 积			
		梯　田	林　地	草　地	合　计
1	6 574.4	473.4	1 100.4	4 401.4	5 975.2
2	13 092.5	2 186.7	4 530.2	4 925.9	11 642.7
3	16 074.4	2 705.0	5 751.7	5 751.7	14 208.4
4	20 126.5	3 678.5	7 246.1	7 246.1	18 170.6
5	14 693.2	2 083.2	7 969.9	3 338.9	13 392.0
6	7 810.3	805.5	1 238.8	4 955.1	6 999.4
7	18 152.3	2 010.6	6 109.9	8 583.7	16 704.2
8	23 743.8	4 490.8	10 433.6	4 420.0	19 344.3
9	13 641.9	2 757.9	1 820.8	7 283.1	11 861.8
10	14 473.1	4 025.4	4 130.9	4 130.9	12 287.2
Σ	148 282.4	25 217.0	50 332.3	55 036.8	130 585.8

三、水土保持措施质量的界定

(1)梯田。水平梯田为一类梯田,埂坎完好,田面平整,或成反坡,土地肥沃,在15年一遇暴雨情况下不发生水土流失。

(2)林地。林地的盖度为70%。

(3)草地。草地的盖度为80%。

四、治理度的确定

治理度通常表示为治理面积与应治理面积之比。但由于单位面积各种措施减沙效益不同,很难建立治理度与减沙效益的关系。例如,1hm² 水平梯田和 1hm² 林草地的减沙效益就不同,在计算总体效益时,5hm² 林草地的减沙量可能只相当于 3hm² 水平梯田的减沙量,而且林草地的减沙效益还要受到其盖度的影响。因此,以梯田为"标准面积单位",将不同降雨条件下不同盖度林地和草地的减沙效益进行标准化处理,折算成"标准面积"的换算系数,来确定治理度。表 4-12 和表 4-13 分别是林地和草地"标准面积"的折算系数。

表 4-12　　　　　　　　　各治理区林地"标准面积"的折算系数

治理区	盖度 50% 的不同频率					盖度 70% 的不同频率					盖度 90% 的不同频率				
	10%	30%	50%	70%	90%	10%	30%	50%	70%	90%	10%	30%	50%	70%	90%
1	0.62	0.67	0.69	0.71	0.73	0.80	0.85	0.87	0.89	0.91	0.93	0.98	1.00	1.00	1.00
2	0.60	0.65	0.67	0.70	0.71	0.78	0.83	0.85	0.87	0.89	0.92	0.96	0.99	1.00	1.00
3	0.62	0.67	0.70	0.72	0.74	0.80	0.85	0.88	0.90	0.92	0.94	0.98	1.00	1.00	1.00
4	0.61	0.64	0.66	0.69	0.71	0.79	0.82	0.84	0.87	0.89	0.92	0.95	0.97	1.00	1.00
5	0.59	0.62	0.64	0.66	0.69	0.77	0.80	0.82	0.84	0.87	0.91	0.93	0.95	0.98	1.00
6	0.62	0.65	0.68	0.71	0.74	0.80	0.83	0.86	0.89	0.92	0.93	0.96	0.99	1.00	1.00
7	0.60	0.62	0.65	0.67	0.69	0.78	0.80	0.83	0.85	0.87	0.91	0.94	0.96	0.98	1.00
8	0.60	0.62	0.64	0.67	0.69	0.78	0.80	0.82	0.85	0.87	0.91	0.93	0.96	0.98	1.00
9	0.64	0.67	0.70	0.72	0.75	0.82	0.85	0.88	0.90	0.93	0.96	0.98	1.00	1.00	1.00
10	0.61	0.63	0.65	0.67	0.70	0.78	0.81	0.83	0.85	0.88	0.92	0.94	0.96	0.99	1.00

表 4-13　　　　　　　　　各治理区草地"标准面积"的折算系数

治理区	盖度 50% 的不同频率					盖度 70% 的不同频率					盖度 90% 的不同频率				
	10%	30%	50%	70%	90%	10%	30%	50%	70%	90%	10%	30%	50%	70%	90%
1	0.64	0.69	0.72	0.74	0.76	0.80	0.85	0.88	0.90	0.92	0.92	0.97	1.00	1.03	1.00
2	0.62	0.67	0.70	0.72	0.74	0.78	0.83	0.86	0.88	0.90	0.90	0.95	0.98	1.01	1.00
3	0.64	0.70	0.73	0.75	0.77	0.81	0.86	0.89	0.92	0.94	0.93	0.98	1.01	1.04	1.00
4	0.63	0.66	0.68	0.71	0.74	0.79	0.82	0.85	0.87	0.90	0.91	0.94	0.97	1.00	1.00
5	0.61	0.64	0.66	0.69	0.71	0.77	0.80	0.82	0.85	0.88	0.89	0.92	0.94	0.97	1.00
6	0.64	0.67	0.71	0.74	0.77	0.80	0.83	0.87	0.90	0.93	0.92	0.96	0.99	1.02	1.00
7	0.62	0.64	0.67	0.70	0.72	0.78	0.81	0.83	0.86	0.88	0.90	0.93	0.95	0.98	1.00
8	0.62	0.64	0.67	0.69	0.72	0.78	0.80	0.83	0.85	0.88	0.90	0.92	0.95	0.97	1.00
9	0.66	0.69	0.72	0.75	0.78	0.83	0.86	0.89	0.91	0.94	0.95	0.98	1.01	1.04	1.00
10	0.62	0.65	0.67	0.70	0.73	0.78	0.81	0.84	0.86	0.89	0.91	0.93	0.96	0.98	1.00

治理度的计算公式为：

$$C = (T + F \times \xi_1 + G \times \xi_2)/A$$

式中：C 为治理度；T 为梯田的面积；F 为林地的面积；G 为草地的面积；A 为应治理面积；ξ_1 为林地"标准面积"的折算系数；ξ_2 为草地"标准面积"的折算系数。

五、水土保持措施的模拟配置

为了分析不同降雨条件与不同治理程度下的减沙效益与土壤流失量，就需对不同降雨条件的降雨指标与不同治理程度下梯田、林地和草地的面积进行随机组合。梯田、林地和草地各自按 10% 的进度，进行完全排列组合（1 000 个治理组合）。不同的降雨条件是选择 9 个降雨频率下的汛期雨量，即频率为 10%、20%、30%、40%、50%、60%、70%、80% 和 90% 的汛期降雨量。

将 9 种降雨频率与 1 000 个治理组合进行排列组合，可得到 9 000 组不同降雨条件与不同治理程度的组合方案。用以分析不同降雨与治理程度双相组合下的土壤流失量与减沙效益。政府和治理部门可根据经费投入状况和治理进度安排，选择某一治理度下的措施配置组合方案。表 4-14 列出了泾河、北洛河上游干旱黄土丘陵沟壑区在治理度达到 50% 和 70% 时的措施组合配置方案。

表 4-14　　　　　　　第 7 治理区两种治理度时的措施配置组合　　　　　（单位：万 hm²）

组合序号	50%治理度			70%治理度		
	梯田	林地	草地	梯田	林地	草地
1	13.4	325.8	228.9	13.4	325.8	457.8
2	13.4	203.7	343.4	26.8	366.6	400.6
3	13.4	81.5	457.8	26.8	244.4	515.0
4	53.6	407.3	114.5	40.2	407.3	343.4
5	53.6	285.1	228.9	40.2	285.1	457.8
6	53.6	122.9	343.4	40.2	162.9	572.3
7	67.0	325.8	171.7	53.6	203.7	515.0
8	67.0	203.7	286.1	80.4	366.6	343.4
9	67.0	81.5	400.6	80.4	244.4	457.8
10	80.4	244.4	228.9	80.4	122.2	572.3
11	80.4	122.2	343.4	93.8	407.3	286.1
12	107.2	407.3	57.2	93.8	285.1	400.6
13	120.6	325.8	114.5	93.8	162.9	515.0
14	120.6	203.7	228.9	107.2	325.8	343.4
15	120.6	81.5	343.4	107.2	203.7	457.8
16	134.1	366.6	57.2	107.2	81.5	572.3
17	134.1	244.4	171.7	120.6	122.2	515.0
18	134.1	122.2	286.1	134.1	366.6	286.1

参 考 文 献

1　程国栋等．西北大开发初期战略思考．科学新闻周刊,2000(14):8
2　中国科学院黄土高原综合科学考察队．黄土高原地区土壤侵蚀区域特征及其治理途径．北京:中国科学技术出版社,1990
3　唐克丽等．黄土丘陵区退耕上限坡度的研究论证．科学通报,1998(2):200～203
4　朱象山．黄土峁状丘陵沟壑区土地利用模式及其效益．见:陕西省黄土高原研究所编．黄土高原开发治理研究．陕西杨凌:天则出版社,1990

第五章 水土保持减沙效益预测

水土保持措施的减沙效益受降雨情况、治理程度和措施质量等因素的影响，是相对变化的。这里的水土保持减沙效益的分析和预测基于以下几个方面：一是不同降雨条件（汛期降雨量及频率）；二是不同治理程度（不同治理度和不同措施组合配置）；三是措施质量（梯田为一类水平梯田，林地盖度为 70%，草地盖度为 80%）；四是对比条件（以 1955～1969 年的产沙量作为未治理条件下的产沙状况）；五是预测研究中，以防蚀减沙为主，不考虑拦沙作用，以求从根本上控制水土流失，因而水土保持措施主要是水平梯田和林草等坡面措施，未考虑淤地坝等治沟工程。

第一节 预测方法

一、降雨频率的确定

根据小区试验资料，尽管 PI_{30} 与土壤流失存在着很好的相关关系，但当将其作为降雨指标应用到大的区域，由于降雨空间分布的不均匀性，特别是最大降雨强度 I_{30} 空间分布的均匀性更差，使得 PI_{30} 在大区域内与土壤流失的关系不如小区那么好。我们曾选用年最大 1h 降雨量、年最大 24h 降雨量、年最大 30 日降雨量和汛期雨量（5～9 月份降雨量），分别与年土壤流失量进行相关分析，结果以年最大 30 日降雨量与土壤流失的相关性最好，汛期雨量次之。考虑到资料的易获性，选择汛期雨量作为降雨指标。

在各治理区内，分别选择 3～5 个具有 35 年长系列（1955～1989 年）降雨观测资料的雨量站，对其汛期雨量进行频率分析，得到各治理区不同频率下的汛期雨量见表 5-1。

表 5-1　　　　　　　各治理区不同频率下的汛期降雨量　　　　　　　（单位：mm）

治理区	10%	20%	30%	40%	50%	60%	70%	80%	90%
1	466.1	386.8	340.4	307.5	282.0	261.1	243.5	228.2	214.7
2	527.6	438.4	386.3	349.3	320.6	297.1	277.3	260.1	245.0
3	529.9	448.0	400.1	366.0	339.7	318.1	299.9	284.1	270.2
4	483.8	442.6	404.9	370.4	338.9	310.0	283.6	259.5	237.4
5	572.5	525.9	483.0	443.7	407.5	374.3	343.8	315.8	290.1
6	470.6	423.3	380.7	342.4	308.0	277.0	249.2	224.1	201.6
7	539.4	496.5	456.9	420.5	387.0	356.2	327.8	301.7	277.7
8	549.0	506.8	467.8	431.9	398.7	368.0	339.7	313.6	289.5
9	400.0	364.1	331.4	301.7	274.6	250.0	227.6	207.1	188.6
10	523.6	482.4	444.4	409.2	377.2	347.5	320.1	294.9	271.7
全区	500.8	445.9	403.9	368.4	337.4	309.9	285.1	262.6	242.3

二、未治理情况下土壤流失量的计算

要计算一个区域的水土保持减沙效益,首先要确定这个区域在未治理状况下的土壤流失情况。已有的研究一般将 1970 年作为黄土高原未治理与治理的分界线,因此,以 1970 年以前各水文站的泥沙资料来计算各治理区在未治理情况下的土壤流失量。

首先,在各治理区选择 3 个以上具有代表性的雨量站,计算其区域的面降雨量;然后,建立面汛期雨量与区域土壤侵蚀强度的相关关系(资料年限为 1955~1969 年),如表 5-2 所示。

表 5-2   **未治理情况下侵蚀强度与汛期雨量的关系**

治理区	关 系 式	相关系数(r)
1	$S = 1\,239.9e^{0.006\,0P}$	0.895
2	$S = 1\,054.6e^{0.005\,8P}$	0.921
3	$S = 753.02e^{0.006\,6P}$	0.955
4	$S = 818.54e^{0.006\,6P}$	0.909
5	$S = 1\,015.1e^{0.005\,0P}$	0.813
6	$S = 478.08e^{0.006\,8P}$	0.852
7	$S = 531.33e^{0.006\,7P}$	0.870
8	$S = 274.29e^{0.007\,3P}$	0.804
9	$S = 611.75e^{0.006\,4P}$	0.834
10	$S = 789.01e^{0.005\,3P}$	0.791
全区	$S = 833.24e^{0.006\,3P}$	0.899

注:S 为侵蚀强度,$t/(km^2 \cdot a)$;P 为汛期雨量,mm。

考虑到 15 年的统计系列较短,难以反映各种降雨情况下的土壤流失情况,因此,将 1955~1989 年 35 年汛期雨量进行频率分析,先将各年的汛期雨量代入表 5-2 中,再按其对应的频率得到各治理区不同降雨频率下的侵蚀强度和产沙量,见表 5-3 和表 5-4。

表 5-3   **各治理区不同降雨频率下的侵蚀强度**   〔单位:$t/(km^2 \cdot a)$〕

治理区	10%	20%	30%	40%	50%	60%	70%	80%	90%
1	20 323.6	12 627.5	9 559.1	7 845.8	6 731.3	5 939.3	5 342.8	4 874.8	4 496.1
2	22 492.7	13 411.4	9 910.9	7 996.6	6 770.4	5 909.4	5 267.5	4 768.0	4 367.0
3	15 412.3	8 974.0	6 540.2	5 225.3	4 390.3	3 808.1	3 376.6	3 042.5	2 775.4
4	22 497.6	16 966.5	13 106.3	10 349.5	8 338.5	6 843.0	5 711.1	4 840.3	4 160.5
5	17 773.6	14 075.5	11 360.8	9 331.2	7 788.1	6 596.6	5 663.5	4 923.2	4 328.8
6	11 732.8	8 503.8	6 366.2	4 906.8	3 882.3	3 144.9	2 602.1	2 194.4	1 882.6
7	19 725.5	14 791.3	11 348.6	8 892.9	7 105.2	5 779.3	4 778.8	4 011.8	3 415.1
8	15 091.0	11 089.2	8 344.0	6 417.2	5 035.9	4 026.3	3 275.0	2 706.5	2 269.7
9	7 912.8	6 289.1	5 102.6	4 218.4	3 547.4	3 029.9	2 624.7	2 303.2	2 044.9
10	12 656.6	10 172.6	8 317.9	6 910.1	5 824.9	4 976.6	4 304.9	3 766.6	3 330.5
全区	19 547.9	13 828.3	10 612.3	8 488.4	6 982.7	5 869.0	5 020.0	4 359.0	3 834.0

表 5-4　　　　　　　　　　各治理区不同降雨频率下的产沙量　　　　　　　（单位:万 t）

治理区	10%	20%	30%	40%	50%	60%	70%	80%	90%
1	13 361.1	8 301.6	6 284.4	5 158.0	4 425.3	3 904.6	3 512.5	3 204.8	2 955.8
2	29 447.3	17 558.1	12 975.2	10 469.1	8 863.7	7 736.5	6 896.1	6 242.3	5 717.2
3	24 773.0	14 424.4	10 512.4	8 398.8	7 056.8	6 121.0	5 427.4	4 890.4	4 461.0
4	45 277.2	34 145.5	26 376.9	20 828.6	16 781.5	13 771.8	11 493.7	9 741.3	8 373.2
5	27 792.0	22 009.5	17 764.6	14 590.9	12 178.0	10 314.9	8 855.8	7 698.3	6 768.8
6	9 162.3	6 640.7	4 971.4	3 831.8	3 031.7	2 455.9	2 032.0	1 713.6	1 470.1
7	35 182.0	26 381.5	20 241.1	15 861.2	12 672.7	10 307.9	8 523.4	7 155.3	6 091.2
8	35 829.4	26 328.3	19 810.5	15 235.7	11 956.4	9 559.4	7 775.5	6 425.8	5 388.7
9	10 794.0	8 579.0	6 960.5	5 754.3	4 839.0	4 133.1	3 580.4	3 141.9	2 789.5
10	18 317.4	14 722.4	12 038.2	10 000.7	8 430.2	7 202.5	6 230.3	5 451.3	4 820.1
全区	291 268.4	206 045.0	158 125.8	126 479.2	104 043.9	87 449.5	74 803.7	64 950.1	57 127.5

三、单项水土保持措施的减沙指标

高标准的水平梯田,在 10 年一遇的降雨条件下(汛期雨量 500mm 左右)其减沙效益一般都能达到 100%。但实际中,由于水平梯田的质量(诸如田面的平整程度、地埂的高底和牢固性等)和降雨因素的影响,这一标准有些偏高,所以将 100% 减沙效益所对应的汛期雨量标准确定为 450mm,即当汛期雨量小于 450mm 时,减沙效益指标均为 100%,大于 450mm 时,减沙效益指标为 95%。

林草措施的减沙指标按照已建立的减沙效益与盖度和汛期雨量的关系计算。

四、减沙量、减沙效益与土壤流失程度的计算方法

不同治理程度下减沙量、减沙效益与土壤流失量的计算是以未治理情况下的土壤流失量、水土保持措施的减沙效益指标和水土保持措施的面积为基础,具体的计算方法如下:

减沙量(ΔS):

$$\Delta S_i = A_i \cdot S_自 \cdot S_i$$
$$\Delta S = (\Delta S_T + \Delta S_F + \Delta S_G)$$

减沙效益($S\%$):

$$S\% = (\Delta S / S) \times 100\%$$

土壤流失强度:

$$E = (S - \Delta S) / A$$

式中:ΔS_i 为某措施(梯田、林地或草地)的减沙量,t;A_i 为某措施的治理面积,km²;$S_自$ 为

各治理区内未治理状况下的土壤年侵蚀模数,t/km^2;S_i 为某措施的减沙效益指标,%;ΔS_T 为梯田的减沙量,t;ΔS_F 为林地的减沙量,t;ΔS_G 为草地的减沙量,t;E 为治理区的土壤流失强度,t/km^2;S 为治理区的自然土壤流失总量,t;A 为治理区的面积,km^2。

第二节 预测结果

一、不同水文年型与治理度下的减沙效益、减沙量与土壤流失量

通过对 9 000 种组合的分析,得出 10 个治理区减沙效益与降雨频率和治理度的关系如表 5-5 所示。由此得到各治理区不同降雨条件、不同治理程度的减沙效益计算结果,见表 5-6。从表 5-6 的计算结果可以看出:

表 5-5　　　　　　　　　　减沙效益与降雨频率、治理度的关系

治理区	关 系 式	相关系数
1	$S\% = 0.656\,C\,P^{0.054\,2}$	0.9999
2	$S\% = 0.642\,C\,P^{0.048}$	0.9999
3	$S\% = 0.646\,C\,P^{0.041\,6}$	0.9999
4	$S\% = 0.659\,C\,P^{0.042\,8}$	0.9997
5	$S\% = 0.635\,C\,P^{0.044\,1}$	0.9997
6	$S\% = 0.638\,C\,P^{0.056\,7}$	0.9997
7	$S\% = 0.652\,C\,P^{0.045\,3}$	0.9997
8	$S\% = 0.593\,C\,P^{0.037\,1}$	0.9998
9	$S\% = 0.670\,C\,P^{0.042\,5}$	0.9998
10	$S\% = 0.649\,C\,P^{0.032\,9}$	0.9998
全区	$S\% = 0.642\,C\,P^{0.043\,7}$	0.9997

注:$S\%$ 为减沙效益(取值 0~100%);P 为降雨频率(取值 10~90);C 为治理度(取值 0~100)。

(1)由于在治理度标准化计算中,已考虑了降雨因素和单项措施的减沙指标(降雨因子已作为隐函数包含其中),因此,降雨频率对减沙效益的影响不甚明显。

(2)10 个治理区同一降雨频率或同一治理度下的减沙效益差别不大,主要差别反映在 3 个植被带的林草措施的配置比例上,以及梯田措施的配置数量上。例如,在降雨频率为 50%,治理度为 70% 时,各治理区的减沙效益变化在 48.0%~56.7%。

(3)当治理度分别为 50%、70% 和 90% 时,黄土高原主要产沙区平水年份的减沙效益分别在 38.1%、53.3% 和 68.5% 左右。如果达到完全治理(治理度 100%),各治理区不同降雨频率下的减沙效益在 65.0%~83.0%。

根据各治理区不同降雨频率的未治理状态下的产沙量(表 5-4)和不同治理度下的减沙效益(表 5-6),计算所得各治理区不同水文年型与治理度下的减沙量见表 5-7。同时,计算所得各治理区不同水文年型与治理度下的土壤流失量与土壤流失强度见表 5-8 和表 5-9。

表 5-6 各治理区不同降雨频率与治理度下的减沙效益 （%）

治理区	降雨频率（%）	治理度（%）									
		10	20	30	40	50	60	70	80	90	100
1	10	7.4	14.9	22.3	29.7	37.1	44.6	52.0	59.4	66.8	74.3
	20	7.7	15.4	23.1	30.8	38.6	46.3	54.0	61.7	69.4	77.1
	30	7.9	15.8	23.6	31.5	39.4	47.3	55.2	63.1	70.9	78.8
	40	8.0	16.0	24.0	32.0	40.0	48.0	56.0	64.0	72.0	80.1
	50	8.1	16.2	24.3	32.4	40.5	48.6	56.7	64.8	72.9	81.0
	60	8.2	16.4	24.6	32.7	40.9	49.1	57.3	65.5	73.7	81.8
	70	8.3	16.5	24.8	33.0	41.3	49.5	57.8	66.0	74.3	82.5
	80	8.3	16.6	24.9	33.3	41.6	49.9	58.2	66.5	74.8	83.1
	90	8.4	16.7	25.1	33.5	41.8	50.2	58.6	66.9	75.3	83.7
2	10	7.2	14.3	21.5	28.7	35.9	43.0	50.2	57.4	64.5	71.7
	20	7.4	14.8	22.2	29.7	37.1	44.5	51.9	59.3	66.7	74.1
	30	7.6	15.1	22.7	30.2	37.8	45.4	52.9	60.5	68.0	75.6
	40	7.7	15.3	23.0	30.7	38.3	46.0	53.7	61.3	69.0	76.7
	50	7.8	15.5	23.3	31.0	38.7	46.5	54.2	62.0	69.7	77.5
	60	7.8	15.6	23.5	31.3	39.1	46.9	54.7	62.5	70.4	78.2
	70	7.9	15.8	23.6	31.5	39.4	47.3	55.1	63.0	70.9	78.8
	80	7.9	15.9	23.8	31.7	39.6	47.6	55.5	63.4	71.3	79.3
	90	8.0	15.9	23.9	31.9	39.9	47.8	55.8	63.8	71.8	79.7
3	10	7.1	14.2	21.3	28.4	35.5	42.7	49.8	56.9	64.0	71.1
	20	7.3	14.6	22.0	29.3	36.6	43.9	51.2	58.5	65.9	73.2
	30	7.4	14.9	22.3	29.8	37.2	44.7	52.1	59.5	67.0	74.4
	40	7.5	15.1	22.6	30.1	37.7	45.2	52.7	60.3	67.8	75.3
	50	7.6	15.2	22.8	30.4	38.0	45.6	53.2	60.8	68.4	76.0
	60	7.7	15.3	23.0	30.6	38.3	46.0	53.6	61.3	68.9	76.6
	70	7.7	15.4	23.1	30.8	38.5	46.3	54.0	61.7	69.4	77.1
	80	7.8	15.5	23.3	31.0	38.8	46.5	54.3	62.0	69.8	77.5
	90	7.8	15.6	23.4	31.2	39.0	46.7	54.5	62.3	70.1	77.9

续表 5-6

治理区	降雨频率（%）	治理度（%）									
		10	20	30	40	50	60	70	80	90	100
4	10	7.3	14.5	21.8	29.1	36.3	43.6	50.9	58.1	65.4	72.7
	20	7.5	15.0	22.5	29.9	37.4	44.9	52.4	59.9	67.4	74.9
	30	7.6	15.2	22.9	30.5	38.1	45.7	53.3	60.9	68.6	76.2
	40	7.7	15.4	23.1	30.8	38.6	46.3	54.0	61.7	69.4	77.1
	50	7.8	15.6	23.4	31.1	38.9	46.7	54.5	62.3	70.1	77.9
	60	7.8	15.7	23.5	31.4	39.2	47.1	54.9	62.8	70.6	78.5
	70	7.9	15.8	23.7	31.6	39.5	47.4	55.3	63.2	71.1	79.0
	80	7.9	15.9	23.8	31.8	39.7	47.7	55.6	63.5	71.5	79.4
	90	8.0	16.0	24.0	31.9	39.9	47.9	55.9	63.9	71.9	79.8
5	10	7.0	14.1	21.1	28.1	35.1	42.2	49.2	56.2	63.2	70.3
	20	7.2	14.5	21.7	29.0	36.2	43.5	50.7	58.0	65.2	72.5
	30	7.4	14.8	22.1	29.5	36.9	44.3	51.6	59.0	66.4	73.8
	40	7.5	14.9	22.4	29.9	37.4	44.8	52.3	59.8	67.2	74.7
	50	7.5	15.1	22.6	30.2	37.7	45.3	52.8	60.4	67.9	75.4
	60	7.6	15.2	22.8	30.4	38.0	45.6	53.2	60.8	68.5	76.1
	70	7.7	15.3	23.0	30.6	38.3	45.9	53.6	61.3	68.9	76.6
	80	7.7	15.4	23.1	30.8	38.5	46.2	53.9	61.6	69.3	77.0
	90	7.7	15.5	23.2	31.0	38.7	46.5	54.2	61.9	69.7	77.4
6	10	7.3	14.5	21.8	29.1	36.4	43.6	50.9	58.2	65.4	72.7
	20	7.6	15.1	22.7	30.2	37.8	45.4	52.9	60.5	68.1	75.6
	30	7.7	15.5	23.2	31.0	38.7	46.4	54.2	61.9	69.6	77.4
	40	7.9	15.7	23.6	31.5	39.3	47.2	55.1	62.9	70.8	78.6
	50	8.0	15.9	23.9	31.9	39.8	47.8	55.8	63.7	71.7	79.6
	60	8.0	16.1	24.1	32.2	40.2	48.3	56.3	64.4	72.4	80.5
	70	8.1	16.2	24.4	32.5	40.6	48.7	56.8	64.9	73.1	81.2
	80	8.2	16.4	24.5	32.7	40.9	49.1	57.3	65.4	73.6	81.8
	90	8.2	16.5	24.7	32.9	41.2	49.4	57.6	65.9	74.1	82.3
7	10	7.2	14.5	21.7	28.9	36.2	43.4	50.7	57.9	65.1	72.4
	20	7.5	14.9	22.4	29.9	37.3	44.8	52.3	59.7	67.2	74.7
	30	7.6	15.2	22.8	30.4	38.0	45.6	53.2	60.8	68.4	76.0
	40	7.7	15.4	23.1	30.8	38.5	46.2	53.9	61.6	69.3	77.0
	50	7.8	15.6	23.4	31.1	38.9	46.7	54.5	62.3	70.0	77.8
	60	7.8	15.7	23.5	31.4	39.2	47.1	54.9	62.8	70.6	78.5
	70	7.9	15.8	23.7	31.6	39.5	47.4	55.3	63.2	71.1	79.0
	80	8.0	15.9	23.9	31.8	39.8	47.7	55.7	63.6	71.6	79.5
	90	8.0	16.0	24.0	32.0	40.0	48.0	56.0	63.9	71.9	79.9

治理区	降雨频率（%）	治理度（%）									
		10	20	30	40	50	60	70	80	90	100
8	10	6.5	12.9	19.4	25.8	32.3	38.7	45.2	51.6	58.1	64.5
	20	6.6	13.2	19.9	26.5	33.1	39.7	46.4	53.0	59.6	66.2
	30	6.7	13.4	20.2	26.9	33.6	40.3	47.1	53.8	60.5	67.2
	40	6.8	13.6	20.4	27.2	34.0	40.8	47.6	54.4	61.2	68.0
	50	6.9	13.7	20.6	27.4	34.3	41.1	48.0	54.8	61.7	68.5
	60	6.9	13.8	20.7	27.6	34.5	41.4	48.3	55.2	62.1	69.0
	70	6.9	13.9	20.8	27.8	34.7	41.6	48.6	55.5	62.4	69.4
	80	7.0	13.9	20.9	27.9	34.9	41.8	48.8	55.8	62.8	69.7
	90	7.0	14.0	21.0	28.0	35.0	42.0	49.0	56.0	63.0	70.0
9	10	7.4	14.8	22.1	29.5	36.9	44.3	51.7	59.0	66.4	73.8
	20	7.6	15.2	22.8	30.4	38.0	45.6	53.2	60.8	68.4	76.0
	30	7.7	15.5	23.2	30.9	38.7	46.4	54.1	61.9	69.6	77.3
	40	7.8	15.7	23.5	31.3	39.1	47.0	54.8	62.6	70.5	78.3
	50	7.9	15.8	23.7	31.6	39.5	47.4	55.3	63.2	71.1	79.0
	60	8.0	15.9	23.9	31.9	39.8	47.8	55.8	63.7	71.7	79.7
	70	8.0	16.0	24.1	32.1	40.1	48.1	56.1	64.1	72.2	80.2
	80	8.1	16.1	24.2	32.3	40.3	48.4	56.4	64.5	72.6	80.6
	90	8.1	16.2	24.3	32.4	40.5	48.6	56.7	64.8	72.9	81.0
10	10	7.0	14.0	21.0	28.0	35.0	42.0	49.0	56.0	63.0	70.0
	20	7.2	14.3	21.5	28.6	35.8	42.9	50.1	57.3	64.4	71.6
	30	7.3	14.5	21.8	29.0	36.3	43.5	50.8	58.0	65.3	72.5
	40	7.3	14.6	22.0	29.3	36.6	43.9	51.3	58.6	65.9	73.2
	50	7.4	14.8	22.1	29.5	36.9	44.3	51.6	59.0	66.4	73.8
	60	7.4	14.8	22.3	29.7	37.1	44.5	52.0	59.4	66.8	74.2
	70	7.5	14.9	22.4	29.8	37.3	44.8	52.2	59.7	67.1	74.6
	80	7.5	15.0	22.5	30.0	37.5	45.0	52.4	59.9	67.4	74.9
	90	7.5	15.0	22.6	30.1	37.6	45.1	52.6	60.2	67.7	75.2
全区	10	7.1	14.2	21.3	28.4	35.5	42.6	49.7	56.8	63.9	71.0
	20	7.3	14.6	21.9	29.3	36.6	43.9	51.2	58.5	65.8	73.2
	30	7.4	14.9	22.3	29.8	37.2	44.7	52.1	59.6	67.0	74.5
	40	7.5	15.1	22.6	30.2	37.7	45.2	52.8	60.3	67.9	75.4
	50	7.6	15.2	22.8	30.5	38.1	45.7	53.3	60.9	68.5	76.1
	60	7.7	15.4	23.0	30.7	38.4	46.1	53.7	61.4	69.1	76.8
	70	7.7	15.5	23.2	30.9	38.6	46.4	54.1	61.8	69.5	77.3
	80	7.8	15.5	23.3	31.1	38.9	46.6	54.4	62.2	70.0	77.7
	90	7.8	15.6	23.4	31.3	39.1	46.9	54.7	62.5	70.3	78.1

表 5-7 　　　　　各治理区不同降雨频率与治理度下的减沙量 　　（单位:万 t）

治理区	降雨频率（%）	治理度（%）									
		10	20	30	40	50	60	70	80	90	100
1	10	992.4	1 984.6	2 976.8	3 969.0	4 961.1	5 953.2	6 945.3	7 937.4	8 929.5	9 921.5
	20	640.2	1 280.3	1 920.4	2 560.5	3 200.5	3 840.6	4 480.6	5 120.6	5 760.6	6 400.6
	30	495.4	990.8	1 486.1	1 981.4	2 476.7	2 972.0	3 467.2	3 962.5	4 457.8	4 953.0
	40	413.0	826.0	1 238.9	1 651.8	2 064.7	2 477.6	2 890.5	3 303.4	3 716.3	4 129.2
	50	358.7	717.3	1 075.9	1 434.4	1 793.0	2 151.6	2 510.1	2 868.7	3 227.2	3 585.8
	60	319.6	639.2	958.7	1 278.2	1 597.8	1 917.3	2 236.8	2 556.3	2 875.8	3 195.3
	70	289.9	579.8	869.7	1 159.5	1 449.4	1 739.2	2 029.1	2 318.9	2 608.7	2 898.5
	80	266.4	532.9	799.3	1 065.6	1 332.0	1 598.4	1 864.8	2 131.1	2 397.5	2 663.8
	90	247.3	494.6	741.9	989.2	1 236.4	1 483.7	1 730.9	1 978.2	2 225.4	2 472.7
2	10	2 111.8	4 223.2	6 334.6	8 445.9	10 557.1	12 668.3	14 779.4	16 890.6	19 001.7	21 112.7
	20	1 302.0	2 603.9	3 905.6	5 207.4	6 509.0	7 810.7	9 112.4	10 414.0	11 715.6	13 017.2
	30	981.2	1 962.3	2 943.3	3 924.3	4 905.2	5 886.2	6 867.1	7 848.0	8 828.9	9 809.8
	40	802.8	1 605.4	2 408.0	3 210.6	4 013.2	4 815.7	5 618.3	6 420.8	7 223.3	8 025.8
	50	687.0	1 374.0	2 060.9	2 747.7	3 434.6	4 121.4	4 808.3	5 495.1	6 181.9	6 868.7
	60	605.0	1 209.8	1 814.7	2 419.5	3 024.3	3 629.2	4 233.9	4 838.7	5 443.5	6 048.3
	70	543.3	1 086.5	1 629.7	2 172.8	2 716.0	3 259.1	3 802.2	4 345.3	4 888.4	5 431.5
	80	495.0	989.8	1 484.7	1 979.5	2 474.4	2 969.2	3 464.0	3 958.8	4 453.6	4 948.4
	90	455.9	911.7	1 367.6	1 823.4	2 279.2	2 734.9	3 190.7	3 646.5	4 102.2	4 558.0
3	10	1 761.5	3 522.8	5 283.9	7 045.1	8 806.1	10 567.2	12 328.2	14 089.1	15 850.1	17 611.0
	20	1 055.7	2 111.3	3 166.8	4 222.2	5 277.7	6 333.1	7 388.5	8 443.8	9 499.2	10 554.6
	30	782.5	1 564.9	2 347.2	3 129.5	3 911.8	4 694.1	5 476.3	6 258.6	7 040.8	7 823.1
	40	632.7	1 265.3	1 897.9	2 530.4	3 163.0	3 795.5	4 428.0	5 060.5	5 693.0	6 325.5
	50	536.6	1 073.0	1 609.5	2 145.9	2 682.4	3 218.8	3 755.2	4 291.6	4 828.0	5 364.4
	60	469.0	937.8	1 406.7	1 875.6	2 344.4	2 813.2	3 282.1	3 750.9	4 219.7	4 688.5
	70	418.5	836.9	1 255.3	1 673.7	2 092.1	2 510.5	2 928.9	3 347.2	3 765.6	4 183.9
	80	379.2	758.3	1 137.4	1 516.5	1 895.6	2 274.7	2 653.8	3 032.9	3 411.9	3 791.0
	90	347.6	695.1	1 042.7	1 390.2	1 737.7	2 085.2	2 432.7	2 780.2	3 127.6	3 475.1
4	10	3 291.0	6 581.6	9 872.0	13 162.3	16 452.5	19 742.7	23 032.8	26 322.8	29 612.8	32 902.8
	20	2 556.7	5 113.0	7 669.1	10 225.2	12 781.2	15 337.2	17 893.1	20 449.0	23 004.8	25 560.6
	30	2 009.5	4 018.8	6 028.0	8 037.1	10 046.1	12 055.1	14 064.1	16 073.0	18 082.0	20 090.8
	40	1 606.5	3 212.8	4 819.0	6 425.1	8 031.2	9 637.3	11 243.3	12 849.4	14 455.4	16 061.3
	50	1 306.8	2 613.4	3 919.9	5 226.4	6 532.8	7 839.2	9 145.6	10 452.0	11 758.4	13 064.7
	60	1 080.8	2 161.5	3 242.1	4 322.6	5 403.2	6 483.7	7 564.2	8 644.7	9 725.1	10 805.6
	70	908.0	1 815.9	2 723.7	3 631.5	4 539.3	5 447.0	6 354.7	7 262.5	8 170.2	9 077.9
	80	774.0	1 547.8	2 321.7	3 095.4	3 869.2	4 643.0	5 416.7	6 190.5	6 964.2	7 737.9
	90	668.6	1 337.2	2 005.7	2 674.2	3 342.5	4 011.1	4 679.5	5 347.9	6 016.4	6 684.8

治理区	降雨频率(%)	治理度(%)									
		10	20	30	40	50	60	70	80	90	100
5	10	1 953.6	3 906.9	5 860.1	7 813.2	9 766.3	11 719.4	13 672.4	15 625.4	17 578.4	19 531.3
	20	1 595.1	3 190.0	4 784.9	6 379.6	7 974.4	9 569.1	11 163.7	12 758.4	14 353.0	15 947.6
	30	1 310.7	2 621.2	3 931.7	5 242.1	6 552.5	7 862.8	9 173.2	10 483.5	11 793.8	13 104.1
	40	1 090.3	2 180.4	3 270.5	4 360.6	5 450.6	6 540.6	7 630.6	8 720.5	9 810.5	10 900.4
	50	919.0	1 837.8	2 756.7	3 675.4	4 594.2	5 512.9	6 431.7	7 350.4	8 269.1	9 187.8
	60	784.7	1 569.2	2 353.8	3 138.3	3 922.8	4 707.2	5 491.7	6 276.1	7 060.5	7 845.0
	70	678.3	1 356.5	2 034.6	2 712.7	3 390.9	4 069.0	4 747.0	5 425.1	6 103.2	6 781.2
	80	593.1	1 186.1	1 779.1	2 372.1	2 965.0	3 558.0	4 150.9	4 743.8	5 336.8	5 929.7
	90	524.2	1 048.4	1 572.5	2 096.6	2 620.6	3 144.7	3 668.8	4 192.8	4 716.9	5 240.9
6	10	666.2	1 332.4	1 998.5	2 664.6	3 330.6	3 996.7	4 662.7	5 328.8	5 994.8	6 660.8
	20	502.2	1 004.4	1 506.5	2 008.7	2 510.8	3 012.9	3 515.0	4 017.0	4 519.1	5 021.2
	30	384.7	769.4	1 154.1	1 538.7	1 923.4	2 308.0	2 692.6	3 077.2	3 461.8	3 846.4
	40	301.4	602.8	904.1	1 205.5	1 506.8	1 808.1	2 109.5	2 410.8	2 712.1	3 013.4
	50	241.5	483.0	724.5	965.9	1 207.4	1 448.8	1 690.3	1 931.7	2 173.1	2 414.6
	60	197.7	395.3	593.0	790.6	988.2	1 185.8	1 383.5	1 581.1	1 778.7	1 976.3
	70	165.0	330.0	494.9	659.9	824.8	989.8	1 154.7	1 319.7	1 484.6	1 649.5
	80	140.2	280.4	420.6	560.7	700.9	841.0	981.2	1 121.4	1 261.5	1 401.7
	90	121.1	242.2	363.2	484.3	605.3	726.4	847.4	968.5	1 089.5	1 210.6
7	10	2 546.3	5 092.2	7 637.9	10 183.6	12 729.2	15 274.8	17 820.3	20 365.8	22 911.2	25 456.7
	20	1 970.2	3 940.2	5 910.0	7 879.8	9 849.5	11 819.2	13 788.9	15 758.5	17 728.1	19 697.7
	30	1 539.7	3 079.1	4 618.5	6 157.8	7 697.1	9 236.4	10 775.6	12 314.8	13 854.0	15 393.2
	40	1 222.3	2 444.5	3 666.6	4 888.7	6 110.7	7 332.7	8 554.7	9 776.6	10 998.6	12 220.5
	50	986.5	1 972.9	2 959.3	3 945.6	4 931.9	5 918.2	6 904.4	7 890.7	8 876.9	9 863.1
	60	809.1	1 618.1	2 427.0	3 235.9	4 044.8	4 853.7	5 662.6	6 471.4	7 280.3	8 089.1
	70	673.7	1 347.3	2 020.9	2 694.5	3 368.0	4 041.6	4 715.1	5 388.6	6 062.1	6 735.6
	80	569.0	1 137.9	1 706.8	2 275.7	2 844.6	3 413.5	3 982.3	4 551.1	5 120.0	5 688.8
	90	487.0	973.9	1 460.8	1 947.6	2 434.5	2 921.3	3 408.2	3 895.0	4 381.8	4 868.7
8	10	2 313.2	4 626.2	6 939.0	9 251.7	11 564.3	13 877.0	16 189.5	18 502.1	20 814.6	23 127.1
	20	1 744.1	3 488.0	5 231.7	6 975.5	8 719.1	10 462.8	12 206.4	13 949.9	15 693.5	17 437.0
	30	1 332.2	2 664.3	3 996.2	5 328.2	6 660.0	7 991.9	9 323.8	10 655.6	11 987.4	13 319.2
	40	1 035.6	2 071.0	3 106.4	4 141.7	5 177.0	6 212.3	7 247.6	8 282.9	9 318.1	10 353.4
	50	819.4	1 638.7	2 458.0	3 277.3	4 096.5	4 915.7	5 734.9	6 554.1	7 373.3	8 192.4
	60	659.6	1 319.1	1 978.6	2 638.0	3 297.5	3 956.9	4 616.3	5 275.7	5 935.1	6 594.5
	70	539.6	1 079.1	1 618.6	2 158.1	2 697.5	3 237.0	3 776.4	4 315.8	4 855.2	5 394.7
	80	448.1	896.2	1 344.3	1 792.3	2 240.3	2 688.3	3 136.4	3 584.4	4 032.4	4 480.3
	90	377.5	754.9	1 132.3	1 509.6	1 887.0	2 264.4	2 641.7	3 019.1	3 396.4	3 773.7

治理区	降雨频率(%)	治理度(%)									
		10	20	30	40	50	60	70	80	90	100
9	10	796.9	1 593.7	2 390.4	3 187.1	3 983.8	4 780.5	5 577.1	6 373.8	7 170.4	7 967.0
	20	652.3	1 304.5	1 956.7	2 608.8	3 261.0	3 913.1	4 565.2	5 217.3	5 869.4	6 521.5
	30	538.4	1 076.8	1 615.1	2 153.5	2 691.8	3 230.1	3 768.3	4 306.6	4 844.9	5 383.1
	40	450.6	901.1	1 351.7	1 802.2	2 252.7	2 703.1	3 153.6	3 604.1	4 054.6	4 505.0
	50	382.5	765.0	1 147.5	1 530.0	1 912.4	2 294.9	2 677.3	3 059.7	3 442.1	3 824.6
	60	329.3	658.5	987.7	1 316.9	1 646.1	1 975.3	2 304.5	2 633.7	2 962.8	3 292.0
	70	287.1	574.2	861.3	1 148.3	1 435.4	1 722.4	2 009.5	2 296.5	2 583.5	2 870.6
	80	253.4	506.7	760.1	1 013.4	1 266.7	1 520.1	1 773.4	2 026.7	2 280.0	2 533.3
	90	226.1	452.2	678.2	904:3	1 130.3	1 356.4	1 582.4	1 808.4	2 034.5	2 260.5
10	10	1 281.9	2 563.5	3 845.2	5 126.7	6 408.3	7 689.8	8 971.3	10 252.8	11 534.2	12 815.7
	20	1 054.0	2 107.9	3 161.8	4 215.6	5 269.4	6 323.1	7 376.9	8 430.6	9 484.3	10 538.0
	30	873.4	1 746.8	2 620.1	3 493.3	4 366.5	5 239.8	6 112.9	6 986.1	7 859.3	8 732.5
	40	732.5	1 464.9	2 197.3	2 929.6	3 662.0	4 394.3	5 126.6	5 858.9	6 591.2	7 323.4
	50	622.0	1 244.0	1 865.9	2 487.8	3 109.6	3 731.5	4 353.3	4 975.2	5 597.0	6 218.8
	60	534.6	1 069.2	1 603.7	2 138.3	2 672.8	3 207.3	3 741.8	4 276.2	4 810.7	5 345.2
	70	464.8	929.6	1 394.3	1 859.1	2 323.8	2 788.5	3 253.2	3 717.9	4 182.5	4 647.2
	80	408.5	816.9	1 225.4	1 633.8	2 042.2	2 450.5	2 858.9	3 267.3	3 675.7	4 084.0
	90	362.6	725.1	1 087.7	1 450.2	1 812.7	2 175.2	2 537.7	2 900.2	3 262.7	3 625.1
全区	10	20 677.4	41 351.9	62 025.4	82 698.2	103 370.4	124 042.2	144 713.7	165 384.8	186 055.8	206 726.4
	20	15 077.2	30 152.2	45 226.5	60 300.3	75 373.7	90 446.8	105 519.6	120 592.3	135 664.7	150 737.0
	30	11 777.6	23 553.5	35 328.8	47 103.7	58 878.4	70 652.8	82 426.9	94 201.0	105 974.8	117 748.6
	40	9 539.6	19 077.9	28 615.8	38 153.3	47 690.5	57 227.6	66 764.5	76 301.2	85 837.9	95 374.4
	50	7 924.4	15 847.6	23 770.5	31 693.1	39 615.4	47 537.7	55 459.7	63 381.7	71 303.6	79 225.4
	60	6 713.8	13 426.6	20 139.0	26 851.3	33 563.4	40 275.3	46 987.1	53 698.8	60 410.5	67 122.1
	70	5 781.7	11 562.6	17 343.2	23 123.6	28 903.9	34 684.1	40 464.1	46 244.1	52 024.0	57 803.8
	80	5 049.5	10 098.3	15 146.8	20 195.2	25 243.4	30 291.5	35 339.6	40 387.6	45 435.5	50 483.3
	90	4 464.2	8 927.9	13 391.3	17 854.5	22 317.7	26 780.7	31 243.7	35 706.6	40 169.4	44 632.2

表 5-8　　　　　　　　各治理区不同降雨频率与治理度下的土壤流失量　　　　　　　（单位：万 t）

治理区	降雨频率(%)	治理度(%)									
		10	20	30	40	50	60	70	80	90	100
1	10	12 368.7	11 376.5	10 384.3	9 392.2	8 400.0	7 407.9	6 415.8	5 423.7	4 431.7	3 439.6
	20	7 661.4	7 021.3	6 381.2	5 741.1	5 101.1	4 461.0	3 821.0	3 181.0	2 541.0	1 901.0
	30	5 788.9	5 293.6	4 798.3	4 303.0	3 807.7	3 312.4	2 817.1	2 321.9	1 826.6	1 331.3
	40	4 745.0	4 332.0	3 919.1	3 506.2	3 093.3	2 680.3	2 267.5	1 854.6	1 441.7	1 028.8
	50	4 066.7	3 708.0	3 349.5	2 990.9	2 632.3	2 273.7	1 915.2	1 556.6	1 198.1	839.5
	60	3 585.0	3 265.5	2 945.9	2 626.4	2 306.9	1 987.3	1 667.8	1 348.3	1 028.8	709.3
	70	3 222.6	2 932.7	2 642.8	2 353.0	2 063.1	1 773.3	1 483.4	1 193.6	903.8	613.9
	80	2 938.3	2 671.9	2 405.5	2 139.2	1 872.8	1 606.4	1 340.0	1 073.7	807.3	540.9
	90	2 708.5	2 461.2	2 213.9	1 966.7	1 719.4	1 472.2	1 224.9	977.7	730.4	483.2
2	10	27 335.5	25 224.0	23 112.7	21 001.4	18 890.2	16 779.0	14 667.8	12 556.7	10 445.6	8 334.5
	20	16 256.1	14 954.3	13 652.5	12 350.8	11 049.1	9 747.4	8 445.8	7 144.1	5 842.5	4 540.9
	30	11 994.0	11 012.9	10 031.9	9 050.9	8 070.0	7 089.0	6 108.1	5 127.2	4 146.3	3 165.4
	40	9 666.4	8 863.7	8 061.1	7 258.5	6 455.9	5 653.4	4 850.9	4 048.3	3 245.8	2 443.3
	50	8 176.7	7 489.8	6 802.9	6 116.0	5 429.1	4 742.3	4 055.4	3 368.6	2 681.8	1 995.0
	60	7 131.6	6 526.7	5 921.8	5 317.0	4 712.2	4 107.4	3 502.6	2 897.8	2 293.0	1 688.3
	70	6 352.8	5 809.6	5 266.5	4 723.3	4 180.2	3 637.0	3 093.9	2 550.8	2 007.7	1 464.6
	80	5 747.3	5 252.4	4 757.6	4 262.8	3 767.9	3 273.1	2 778.3	2 283.5	1 788.7	1 293.9
	90	5 261.3	4 805.5	4 349.6	3 893.8	3 438.1	2 982.3	2 526.5	2 070.7	1 615.0	1 159.2
3	10	23 011.5	21 250.2	19 489.0	17 727.9	15 966.8	14 205.8	12 444.8	10 683.8	8 922.9	7 161.9
	20	13 368.7	12 313.2	11 257.7	10 202.2	9 146.8	8 091.4	7 036.0	5 980.6	4 925.2	3 869.9
	30	9 729.9	8 947.6	8 165.2	7 382.9	6 600.6	5 818.3	5 036.1	4 253.8	3 471.6	2 689.4
	40	7 766.1	7 133.5	6 501.0	5 868.4	5 235.9	4 603.3	3 970.8	3 338.3	2 705.8	2 073.3
	50	6 520.2	5 983.7	5 447.3	4 910.8	4 374.4	3 838.0	3 301.6	2 765.2	2 228.8	1 692.4
	60	5 652.1	5 183.2	4 714.3	4 245.5	3 776.6	3 307.8	2 839.0	2 370.1	1 901.3	1 432.5
	70	5 008.9	4 590.4	4 172.0	3 753.6	3 335.2	2 916.9	2 498.5	2 080.1	1 661.8	1 243.4
	80	4 511.2	4 132.0	3 752.9	3 373.8	2 994.6	2 615.6	2 236.6	1 857.5	1 478.4	1 099.4
	90	4 113.4	3 765.8	3 418.3	3 070.8	2 723.3	2 375.8	2 028.4	1 680.8	1 333.3	985.8
4	10	41 986.2	38 695.6	35 405.2	32 114.9	28 824.6	25 534.5	22 244.4	18 954.4	15 664.3	12 374.4
	20	31 588.9	29 032.6	26 476.4	23 920.4	21 364.3	18 808.4	16 252.5	13 696.6	11 140.7	8 584.9
	30	24 367.4	22 358.1	20 348.9	18 339.8	16 330.8	14 321.8	12 312.8	10 303.9	8 295.0	6 286.1
	40	19 222.1	17 615.8	16 009.6	14 403.5	12 797.4	11 191.3	9 585.3	7 979.2	6 373.2	4 767.3
	50	15 474.7	14 168.1	12 861.6	11 555.1	10 248.7	8 942.3	7 635.9	6 329.5	5 023.1	3 716.8
	60	12 691.0	11 610.3	10 529.7	9 449.2	8 368.6	7 288.1	6 207.6	5 127.1	4 046.7	2 966.2
	70	10 585.7	9 677.9	8 770.0	7 862.2	6 954.5	6 046.7	5 139.0	4 231.3	3 323.5	2 415.8
	80	8 967.3	8 193.5	7 419.7	6 645.9	5 872.1	5 098.3	4 324.6	3 550.9	2 777.1	2 003.4
	90	7 704.6	7 036.0	6 367.5	5 699.1	5 030.6	4 362.1	3 693.7	3 025.3	2 356.8	1 688.4

治理区	降雨频率(%)	治理度(%)									
		10	20	30	40	50	60	70	80	90	100
5	10	25 838.5	23 885.2	21 932.0	19 978.8	18 025.7	16 072.7	14 119.7	12 166.7	10 213.7	8 260.8
	20	20 414.3	18 819.4	17 224.6	15 629.7	14 035.1	12 440.4	10 845.7	9 251.1	7 656.5	6 061.9
	30	16 453.8	15 143.3	13 832.9	12 522.4	11 212.1	9 901.7	8 591.4	7 281.1	5 970.8	4 660.5
	40	13 500.6	12 410.5	11 320.4	10 230.3	9 140.3	8 050.3	6 960.3	5 870.4	4 780.4	3 690.5
	50	11 259.0	10 340.1	9 421.3	8 502.5	7 583.8	6 665.0	5 746.3	4 827.6	3 908.9	2 990.2
	60	9 530.2	8 745.6	7 961.1	7 176.6	6 392.1	5 607.7	4 823.2	4 038.8	3 254.3	2 469.9
	70	8 177.6	7 499.4	6 821.2	6 143.1	5 465.0	4 786.9	4 108.8	3 430.7	2 752.7	2 074.6
	80	7 105.2	6 512.1	5 919.2	5 326.2	4 733.2	4 140.3	3 547.4	2 954.4	2 361.5	1 768.6
	90	6 244.6	5 720.5	5 196.4	4 672.3	4 148.2	3 624.1	3 100.1	2 576.0	2 052.0	1 527.9
6	10	8 496.0	7 829.9	7 163.8	6 497.7	5 831.6	5 165.6	4 499.5	3 833.5	3 167.5	2 501.4
	20	6 138.4	5 636.3	5 134.1	4 632.0	4 129.9	3 627.8	3 125.7	2 623.6	2 121.6	1 619.5
	30	4 586.7	4 202.0	3 817.4	3 432.7	3 048.1	2 663.5	2 278.8	1 894.2	1 509.6	1 125.0
	40	3 530.3	3 229.0	2 927.6	2 626.3	2 324.9	2 023.6	1 722.3	1 421.0	1 119.6	818.3
	50	2 790.2	2 548.7	2 307.2	2 065.8	1 824.3	1 582.9	1 341.4	1 100.0	858.5	617.1
	60	2 258.2	2 060.5	1 862.9	1 665.3	1 467.7	1 270.0	1 072.4	874.8	677.2	479.6
	70	1 867.0	1 702.0	1 537.1	1 372.1	1 207.2	1 042.2	877.3	712.3	547.4	382.4
	80	1 573.4	1 433.3	1 293.1	1 152.9	1 012.7	872.6	732.4	592.3	452.1	312.0
	90	1 349.0	1 228.0	1 106.9	985.9	864.8	743.8	622.7	501.7	380.6	259.6
7	10	32 635.8	30 089.9	27 544.1	24 998.4	22 452.8	19 907.2	17 361.7	14 816.2	12 270.8	9 725.3
	20	24 411.2	22 441.3	20 471.4	18 501.6	16 531.9	14 562.2	12 592.6	10 622.9	8 653.3	6 683.7
	30	18 701.5	17 162.0	15 622.6	14 083.3	12 544.0	11 004.7	9 465.5	7 926.3	6 387.1	4 847.9
	40	14 638.8	13 416.7	12 194.6	10 972.5	9 750.5	8 528.5	7 306.5	6 084.5	4 862.6	3 640.7
	50	11 686.2	10 699.8	9 713.5	8 727.1	7 740.8	6 754.6	5 768.3	4 782.1	3 795.8	2 809.6
	60	9 498.8	8 689.8	7 880.9	7 071.9	6 263.0	5 454.2	4 645.3	3 836.5	3 027.6	2 218.8
	70	7 849.7	7 176.0	6 502.5	5 828.9	5 155.4	4 481.8	3 808.3	3 134.8	2 461.3	1 787.8
	80	6 586.3	6 017.4	5 448.5	4 879.6	4 310.7	3 741.9	3 173.0	2 604.2	2 035.4	1 466.5
	90	5 604.2	5 117.3	4 630.4	4 143.5	3 656.7	3 169.8	2 683.0	2 196.2	1 709.3	1 222.5
8	10	33 516.2	31 203.2	28 890.4	26 577.7	24 265.0	21 952.4	19 639.9	17 327.3	15 014.8	12 702.3
	20	24 584.2	22 840.3	21 096.6	19 352.8	17 609.2	15 865.5	14 121.9	12 378.4	10 634.8	8 891.3
	30	18 478.2	17 146.2	15 814.2	14 482.3	13 150.4	11 818.5	10 486.7	9 154.9	7 823.1	6 491.3
	40	14 200.2	13 164.7	12 129.4	11 094.0	10 058.7	9 023.4	7 988.1	6 952.9	5 917.6	4 882.4
	50	11 136.9	10 317.6	9 498.3	8 679.1	7 859.9	7 040.7	6 221.5	5 402.3	4 583.1	3 763.9
	60	8 899.8	8 240.3	7 580.8	6 921.3	6 261.9	5 602.5	4 943.1	4 283.7	3 624.3	2 964.9
	70	7 235.9	6 696.4	6 156.9	5 617.4	5 078.0	4 538.6	3 999.1	3 459.7	2 920.3	2 380.9
	80	5 977.6	5 529.6	5 081.5	4 633.5	4 185.4	3 737.4	3 289.4	2 841.4	2 393.4	1 945.4
	90	5 011.3	4 633.9	4 256.5	3 879.1	3 501.7	3 124.4	2 747.0	2 369.7	1 992.3	1 615.0

治理区	降雨频率(%)	治理度(%)									
		10	20	30	40	50	60	70	80	90	100
9	10	9 997.1	9 200.3	8 403.6	7 606.9	6 810.2	6 013.5	5 216.9	4 420.2	3 623.6	2 826.9
	20	7 926.7	7 274.5	6 622.3	5 970.2	5 318.1	4 665.9	4 013.8	3 361.7	2 709.6	2 057.5
	30	6 422.1	5 883.7	5 345.4	4 807.1	4 268.8	3 730.5	3 192.2	2 653.9	2 115.7	1 577.4
	40	5 303.7	4 853.2	4 402.6	3 952.1	3 501.6	3 051.2	2 600.7	2 150.2	1 699.8	1 249.3
	50	4 456.5	4 074.0	3 691.5	3 309.1	2 926.6	2 544.2	2 161.8	1 779.3	1 396.9	1 014.5
	60	3 803.8	3 474.6	3 145.4	2 816.2	2 487.0	2 157.8	1 828.6	1 499.4	1 170.2	841.1
	70	3 293.3	3 006.2	2 719.2	2 432.1	2 145.0	1 858.0	1 571.0	1 283.9	996.9	709.9
	80	2 888.5	2 635.1	2 381.8	2 128.5	1 875.1	1 621.8	1 368.5	1 115.2	861.9	608.6
	90	2 563.4	2 337.4	2 111.3	1 885.3	1 659.2	1 433.2	1 207.1	981.1	755.1	529.0
10	10	17 035.5	15 753.8	14 472.2	13 190.6	11 909.1	10 627.6	9 346.1	8 064.6	6 783.2	5 501.7
	20	13 668.3	12 614.4	11 560.6	10 506.8	9 453.0	8 399.2	7 345.5	6 291.8	5 238.0	4 184.3
	30	11 164.8	10 291.4	9 418.2	8 544.9	7 671.7	6 798.5	5 925.3	5 052.1	4 178.9	3 305.7
	40	9 268.1	8 535.7	7 803.4	7 071.0	6 338.7	5 606.4	4 874.1	4 141.8	3 409.5	2 677.2
	50	7 808.1	7 186.2	6 564.3	5 942.4	5 320.5	4 698.7	4 076.8	3 455.0	2 833.1	2 211.3
	60	6 667.9	6 133.3	5 598.8	5 064.2	4 529.7	3 995.2	3 460.7	2 926.3	2 391.8	1 857.3
	70	5 765.5	5 300.8	4 836.0	4 371.3	3 906.6	3 441.9	2 977.2	2 512.5	2 047.8	1 583.1
	80	5 042.8	4 634.3	4 225.9	3 817.5	3 409.1	3 000.7	2 592.4	2 184.0	1 775.6	1 367.3
	90	4 457.5	4 094.9	3 732.4	3 369.9	3 007.4	2 644.9	2 282.4	1 919.9	1 557.4	1 194.9
全区	10	27 0591.0	249 916.5	229 243.0	208 570.2	187 898.0	167 226.2	146 554.7	125 883.6	105 212.6	84 542.0
	20	190 967.8	175 892.7	160 818.5	145 744.7	130 671.3	115 598.2	100 525.4	85 452.7	70 380.3	55 308.0
	30	146 348.2	134 572.3	122 797.0	111 022.1	99 247.4	87 473.1	75 698.9	63 924.9	52 151.0	40 377.2
	40	116 939.6	107 401.2	97 863.4	88 325.9	78 788.7	69 251.6	59 714.7	50 178.0	40 641.3	31 104.8
	50	96 119.5	88 196.3	80 273.4	72 350.9	64 428.5	56 506.3	48 584.2	40 662.2	32 740.3	24 818.5
	60	80 735.8	74 022.9	67 310.5	60 598.2	53 886.2	47 174.2	40 462.4	33 750.7	27 039.0	20 327.5
	70	69 022.0	63 241.1	57 460.4	51 680.0	45 899.8	40 119.6	34 339.6	28 559.6	22 779.7	16 999.9
	80	59 900.7	54 851.9	49 803.3	44 755.0	39 706.7	34 658.6	29 610.6	24 562.6	19 514.7	14 466.8
	90	52 663.3	48 199.6	43 736.2	39 273.0	34 809.9	30 346.8	25 883.9	21 421.0	16 958.1	12 495.3

表 5-9　　　　　　　各治理区不同降雨频率与治理度下的土壤流失强度　　〔单位:t/(km².a)〕

治理区	降雨频率(%)	治理度(%)									
		10	20	30	40	50	60	70	80	90	100
1	10	18 814.1	17 304.8	15 795.6	14 286.4	12 777.3	11 268.2	9 759.1	8 250.0	6 741.0	5 232.0
	20	11 653.7	10 680.0	9 706.4	8 732.8	7 759.2	6 785.7	5 812.1	4 838.6	3 865.1	2 891.6
	30	8 805.6	8 052.1	7 298.6	6 545.2	5 791.8	5 038.5	4 285.1	3 531.8	2 778.4	2 025.1
	40	7 217.6	6 589.4	5 961.3	5 333.2	4 705.1	4 077.1	3 449.0	2 821.0	2 192.9	1 564.9
	50	6 185.8	5 640.3	5 094.8	4 549.4	4 004.0	3 458.6	2 913.2	2 367.8	1 822.4	1 277.0
	60	5 453.2	4 967.1	4 481.0	3 995.0	3 509.0	3 022.9	2 536.9	2 050.9	1 564.9	1 078.9
	70	4 901.8	4 460.9	4 020.0	3 579.1	3 138.2	2 697.3	2 256.5	1 815.6	1 374.7	933.9
	80	4 469.5	4 064.3	3 659.1	3 253.9	2 848.7	2 443.5	2 038.3	1 633.1	1 228.0	822.8
	90	4 119.9	3 743.8	3 367.6	2 991.5	2 615.4	2 239.3	1 863.2	1 487.1	1 111.0	735.0
2	10	20 879.7	19 266.9	17 654.2	16 041.5	14 428.9	12 816.3	11 203.7	9 591.2	7 978.7	6 366.2
	20	12 416.9	11 422.5	10 428.2	9 433.9	8 439.6	7 445.4	6 451.1	5 456.9	4 462.7	3 468.5
	30	9 161.4	8 412.0	7 662.7	6 913.4	6 164.1	5 414.8	4 665.6	3 916.3	3 167.1	2 417.9
	40	7 383.5	6 770.4	6 157.3	5 544.3	4 931.2	4 318.2	3 705.2	3 092.2	2 479.2	1 866.3
	50	6 245.6	5 720.9	5 196.2	4 671.6	4 146.9	3 622.3	3 097.7	2 573.1	2 048.4	1 523.8
	60	5 447.3	4 985.3	4 523.3	4 061.3	3 599.3	3 137.4	2 675.4	2 213.4	1 751.5	1 289.6
	70	4 852.5	4 437.6	4 022.7	3 607.8	3 192.9	2 778.1	2 363.2	1 948.4	1 533.5	1 118.7
	80	4 390.0	4 012.0	3 634.0	3 256.0	2 878.1	2 500.1	2 122.2	1 744.2	1 366.3	988.3
	90	4 018.7	3 670.6	3 322.4	2 974.2	2 626.1	2 278.0	1 929.8	1 581.7	1 233.6	885.4
3	10	14 316.4	13 220.6	12 124.9	11 029.3	9 933.6	8 838.0	7 742.4	6 646.9	5 551.3	4 455.7
	20	8 317.2	7 660.5	7 003.9	6 347.2	5 690.6	5 034.0	4 377.4	3 720.8	3 064.2	2 407.6
	30	6 053.4	5 566.7	5 079.9	4 593.2	4 106.5	3 619.8	3 133.2	2 646.5	2 159.8	1 673.2
	40	4 831.6	4 438.1	4 044.5	3 651.0	3 257.5	2 863.9	2 470.4	2 076.9	1 683.4	1 289.9
	50	4 056.5	3 722.7	3 389.0	3 055.2	2 721.5	2 387.8	2 054.0	1 720.3	1 386.6	1 052.9
	60	3 516.4	3 224.7	2 933.0	2 641.3	2 349.6	2 057.9	1 766.2	1 474.6	1 182.9	891.2
	70	3 116.2	2 855.9	2 595.6	2 335.3	2 075.0	1 814.7	1 554.4	1 294.1	1 033.9	773.6
	80	2 806.6	2 570.7	2 334.8	2 099.0	1 863.1	1 627.3	1 391.5	1 155.6	919.8	684.0
	90	2 559.1	2 342.9	2 126.7	1 910.5	1 694.3	1 478.1	1 261.9	1 045.7	829.5	613.3
4	10	20 862.4	19 227.3	17 592.4	15 957.5	14 322.6	12 687.8	11 053.0	9 418.2	7 783.4	6 148.7
	20	15 696.1	14 425.9	13 155.8	11 885.7	10 615.7	9 345.6	8 075.6	6 805.7	5 535.7	4 265.7
	30	12 107.8	11 109.4	10 111.1	9 112.8	8 114.6	7 116.3	6 118.1	5 119.9	4 121.7	3 123.5
	40	9 551.2	8 753.1	7 955.0	7 156.9	6 358.9	5 560.8	4 762.8	3 964.8	3 166.8	2 368.8
	50	7 689.2	7 040.0	6 390.8	5 741.6	5 092.4	4 443.3	3 794.2	3 145.0	2 495.9	1 846.8
	60	6 306.0	5 769.0	5 232.1	4 695.2	4 158.3	3 621.4	3 084.5	2 547.5	2 010.7	1 473.9
	70	5 259.9	4 808.8	4 357.7	3 906.6	3 455.6	3 004.5	2 553.5	2 102.5	1 651.4	1 200.4
	80	4 455.8	4 071.2	3 686.7	3 302.2	2 917.8	2 533.3	2 148.8	1 764.4	1 379.9	995.5
	90	3 828.3	3 496.1	3 163.9	2 831.8	2 499.6	2 167.5	1 835.4	1 503.2	1 171.1	839.0

治理区	降雨频率（%）	治理度（%）									
		10	20	30	40	50	60	70	80	90	100
5	10	16 524.2	15 275.1	14 025.9	12 776.9	11 527.8	10 278.8	9 029.8	7 780.8	6 531.9	5 282.9
	20	13 055.4	12 035.4	11 015.5	9 995.6	8 975.8	7 955.9	6 936.1	5 916.3	4 896.5	3 876.7
	30	10 522.6	9 684.5	8 846.4	8 008.4	7 170.4	6 332.4	5 494.4	4 656.4	3 818.4	2 980.5
	40	8 633.9	7 936.7	7 239.6	6 542.5	5 845.4	5 148.3	4 451.3	3 754.2	3 057.2	2 360.1
	50	7 200.3	6 612.7	6 025.1	5 437.5	4 850.0	4 262.4	3 674.9	3 087.3	2 499.8	1 912.3
	60	6 094.8	5 593.0	5 091.3	4 589.6	4 087.9	3 586.2	3 084.5	2 582.9	2 081.2	1 579.6
	70	5 229.7	4 796.0	4 362.3	3 928.6	3 495.0	3 061.3	2 627.7	2 194.0	1 760.4	1 326.8
	80	4 543.9	4 164.7	3 785.4	3 406.2	3 027.0	2 647.8	2 268.6	1 889.4	1 510.2	1 131.1
	90	3 993.6	3 658.4	3 323.2	2 988.0	2 652.9	2 317.7	1 982.6	1 647.4	1 312.3	977.1
6	10	10 879.6	10 026.6	9 173.6	8 320.7	7 467.7	6 614.8	5 761.9	4 909.0	4 056.1	3 203.2
	20	7 860.6	7 217.6	6 574.6	5 931.6	5 288.6	4 645.6	4 002.7	3 359.7	2 716.8	2 073.9
	30	5 873.5	5 380.9	4 888.4	4 395.8	3 903.2	3 410.7	2 918.2	2 425.6	1 933.1	1 440.6
	40	4 520.8	4 134.9	3 749.0	3 363.1	2 977.2	2 591.3	2 205.5	1 819.6	1 433.8	1 047.9
	50	3 573.0	3 263.8	2 954.5	2 645.3	2 336.1	2 027.0	1 717.8	1 408.6	1 099.4	790.2
	60	2 891.7	2 638.6	2 385.6	2 132.5	1 879.4	1 626.3	1 373.3	1 120.2	867.2	614.1
	70	2 390.8	2 179.6	1 968.3	1 757.1	1 545.8	1 334.6	1 123.4	912.2	701.0	489.7
	80	2 014.9	1 835.4	1 655.9	1 476.4	1 296.9	1 117.4	937.9	758.4	579.0	399.5
	90	1 727.5	1 572.5	1 417.5	1 262.5	1 107.4	952.4	797.4	642.4	487.4	332.4
7	10	18 297.9	16 870.5	15 443.1	14 015.9	12 588.6	11 161.4	9 734.2	8 307.0	6 879.9	5 452.7
	20	13 686.6	12 582.2	11 477.7	10 373.3	9 268.9	8 164.6	7 060.3	5 956.0	4 851.7	3 747.4
	30	10 485.3	9 622.2	8 759.1	7 896.1	7 033.0	6 170.0	5 307.0	4 444.0	3 581.1	2 718.1
	40	8 207.6	7 522.3	6 837.1	6 152.0	5 466.8	4 781.7	4 096.5	3 411.4	2 726.3	2 041.2
	50	6 552.1	5 999.1	5 446.0	4 893.0	4 340.1	3 787.1	3 234.1	2 681.2	2 128.2	1 575.3
	60	5 325.7	4 872.1	4 418.6	3 965.0	3 511.5	3 058.0	2 604.5	2 151.0	1 697.5	1 244.0
	70	4 401.1	4 023.4	3 645.7	3 268.1	2 890.5	2 512.8	2 135.2	1 757.6	1 380.0	1 002.4
	80	3 692.8	3 373.8	3 054.8	2 735.9	2 416.9	2 098.0	1 779.0	1 460.1	1 141.2	822.2
	90	3 142.1	2 869.1	2 596.1	2 323.2	2 050.2	1 777.2	1 504.3	1 231.3	958.4	685.4
8	10	14 116.7	13 142.5	12 168.4	11 194.3	10 220.2	9 246.2	8 272.1	7 298.1	6 324.1	5 350.1
	20	10 354.6	9 620.1	8 885.7	8 151.2	7 416.8	6 682.4	5 948.0	5 213.7	4 479.3	3 744.9
	30	7 782.9	7 221.8	6 660.8	6 099.8	5 538.8	4 977.9	4 416.9	3 856.0	3 295.0	2 734.1
	40	5 981.0	5 544.9	5 108.8	4 672.7	4 236.6	3 800.6	3 364.5	2 928.5	2 492.4	2 056.4
	50	4 690.8	4 345.7	4 000.6	3 655.6	3 310.5	2 965.5	2 620.4	2 275.4	1 930.4	1 585.3
	60	3 748.5	3 470.7	3 193.0	2 915.2	2 637.5	2 359.7	2 082.0	1 804.2	1 526.5	1 248.8
	70	3 047.7	2 820.5	2 593.2	2 366.0	2 138.8	1 911.6	1 684.4	1 457.2	1 230.0	1 002.8
	80	2 517.7	2 329.0	2 140.3	1 951.6	1 762.9	1 574.2	1 385.5	1 196.8	1 008.1	819.4
	90	2 110.7	1 951.7	1 792.8	1 633.8	1 474.9	1 316.0	1 157.0	998.1	839.2	680.2

治理区	降雨频率(%)	治理度(%)									
		10	20	30	40	50	60	70	80	90	100
9	10	7 328.7	6 744.6	6 160.5	5 576.4	4 992.4	4 408.4	3 824.4	3 240.4	2 656.4	2 072.4
	20	5 810.9	5 332.8	4 854.7	4 376.6	3 898.6	3 420.5	2 942.4	2 464.4	1 986.4	1 508.3
	30	4 707.9	4 313.2	3 918.6	3 524.0	3 129.4	2 734.7	2 340.1	1 945.5	1 550.9	1 156.4
	40	3 888.0	3 557.8	3 227.5	2 897.2	2 567.0	2 236.7	1 906.5	1 576.3	1 246.1	915.8
	50	3 267.0	2 986.6	2 706.2	2 425.8	2 145.5	1 865.1	1 584.7	1 304.4	1 024.0	743.7
	60	2 788.5	2 547.1	2 305.8	2 064.5	1 823.1	1 581.8	1 340.5	1 099.2	857.9	616.6
	70	2 414.3	2 203.8	1 993.4	1 782.9	1 572.5	1 362.1	1 151.6	941.2	730.8	520.4
	80	2 117.5	1 931.8	1 746.0	1 560.3	1 374.6	1 188.9	1 003.2	817.5	631.8	446.1
	90	1 879.2	1 713.5	1 547.8	1 382.0	1 216.3	1 050.6	884.9	719.2	553.5	387.8
10	10	11 770.9	10 885.3	9 999.7	9 114.2	8 228.7	7 343.3	6 457.8	5 572.3	4 686.9	3 801.5
	20	9 444.3	8 716.1	7 987.9	7 259.8	6 531.6	5 803.5	5 075.4	4 347.4	3 619.3	2 891.2
	30	7 714.4	7 111.0	6 507.6	5 904.2	5 300.8	4 697.5	4 094.1	3 490.8	2 887.5	2 284.1
	40	6 403.9	5 897.9	5 391.8	4 885.8	4 379.8	3 873.8	3 367.8	2 861.8	2 355.8	1 849.9
	50	5 395.1	4 965.4	4 535.7	4 106.0	3 676.3	3 246.6	2 816.9	2 387.2	1 957.6	1 527.9
	60	4 607.2	4 237.9	3 868.5	3 499.2	3 129.9	2 760.5	2 391.2	2 021.9	1 652.6	1 283.3
	70	3 983.7	3 662.6	3 341.5	3 020.4	2 699.3	2 378.2	2 057.1	1 736.0	1 414.9	1 093.9
	80	3 484.4	3 202.2	2 920.0	2 637.8	2 355.6	2 073.4	1 791.2	1 509.1	1 226.9	944.7
	90	3 079.9	2 829.4	2 578.9	2 328.5	2 078.0	1 827.5	1 577.0	1 326.6	1 076.1	825.6
全区	10	18 160.2	16 772.6	15 385.2	13 997.8	12 610.4	11 223.1	9 835.7	8 448.4	7 061.1	5 673.9
	20	12 816.4	11 804.7	10 793.0	9 781.4	8 769.7	7 758.1	6 746.6	5 735.0	4 723.4	3 711.9
	30	9 821.9	9 031.6	8 241.3	7 451.0	6 660.8	5 870.6	5 080.4	4 290.2	3 500.0	2 709.8
	40	7 848.2	7 208.0	6 567.9	5 927.8	5 287.7	4 647.7	4 007.6	3 367.6	2 727.6	2 087.5
	50	6 450.9	5 919.1	5 387.4	4 855.7	4 324.0	3 792.3	3 260.6	2 729.0	2 197.3	1 665.6
	60	5 418.4	4 967.9	4 517.4	4 066.9	3 616.5	3 166.0	2 715.6	2 265.1	1 814.7	1 364.2
	70	4 632.3	4 244.3	3 856.3	3 468.4	3 080.5	2 692.5	2 304.6	1 916.7	1 528.8	1 140.9
	80	4 020.1	3 681.3	3 342.5	3 003.6	2 664.8	2 326.0	1 987.3	1 648.5	1 309.7	970.9
	90	3 534.4	3 234.8	2 935.3	2 635.7	2 336.2	2 036.7	1 737.1	1 437.6	1 138.1	838.6

为了很直接方便地计算各治理区的减沙效益,我们对减沙效益与汛期雨量和梯田面积、林地面积、草地面积的关系进行了统计分析,结果见表 5-10。政府和治理单位可直接应用表 5-10,计算出不同治理情况下的减沙效益。

表 5-10　　　　减沙效益与汛期降雨量、梯田面积、林地面积、草地面积的关系

治理区	关 系 式	相关系数
1	$S\% = 10.186 P_汛^{-0.150} T^{0.077} F^{0.154} G^{0.642}$	0.983
2	$S\% = 8.018 P_汛^{-0.133} T^{0.170} F^{0.298} G^{0.350}$	0.956
3	$S\% = 6.826 P_汛^{-0.133} T^{0.174} F^{0.309} G^{0.334}$	0.956
4	$S\% = 5.653 P_汛^{-0.130} T^{0.184} F^{0.303} G^{0.328}$	0.955
5	$S\% = 6.702 P_汛^{-0.140} T^{0.151} F^{0.465} G^{0.214}$	0.965
6	$S\% = 9.229 P_汛^{-0.143} T^{0.110} F^{0.145} G^{0.607}$	0.980
7	$S\% = 5.954 P_汛^{-0.147} T^{0.114} F^{0.286} G^{0.430}$	0.962
8	$S\% = 3.543 P_汛^{-0.126} T^{0.218} F^{0.412} G^{0.191}$	0.960
9	$S\% = 6.052 P_汛^{-0.121} T^{0.208} F^{0.120} G^{0.511}$	0.970
10	$S\% = 6.896 P_汛^{-0.111} T^{0.292} F^{0.249} G^{0.270}$	0.953
全区	$S\% = 1.097 P_汛^{-0.131} T^{0.175} F^{0.294} G^{0.348}$	0.956

注:$S\%$ 为减沙效益(取值 0~100%);$P_汛$ 为汛期(5~9 月)雨量,mm;T 为梯田面积,万 hm^2;F 为林地面积,万 hm^2;G 为草地面积,万 hm^2。

二、治理程度实现的可能性与效益分析

表 5-6 所列的效益是按高标准梯田和高覆盖度的林草措施下计算的,实际上,要使整个区域大面积治理达到理想的标准状态是有一定难度的。首先,在一些区域,由于受气候、人为活动和林草措施减沙时效的影响,很难使林草地的盖度全面达到 70% 以上。其次,由于局地性特大暴雨的影响,梯田田坎冲跨的现象时有发生,这样就使得全区域的梯田效益很难达到标准效益。再之,即使在高标准的治理情况下,完全防止沟坡道路的侵蚀作用是不现实的。因此,要比较客观实际地预测减沙效益,应当对理想状况的计算结果进行区域性的尺度转换。由于影响区域性转换的因素比较复杂,经综合考虑,以 0.8 作为尺度转换系数。表 5-11 是表 5-6 乘以 0.8 系数后所得的减沙效益结果。

三、重点治理区不同治理程度的土壤流失量预测

现将黄土高原重点治理区(14.9 万 km^2)不同水文年型与不同治理度下的减沙效益、减沙量与土壤流失量预测列表 5-12。

表 5-11 转换后的减沙效益 （%）

治理区	降雨频率(%)	治理度（%）									
		10	20	30	40	50	60	70	80	90	100
1	10	5.9	11.9	17.8	23.8	29.7	35.6	41.6	47.5	53.5	59.4
	20	6.2	12.3	18.5	24.7	30.8	37.0	43.2	49.3	55.5	61.7
	30	6.3	12.6	18.9	25.2	31.5	37.8	44.1	50.4	56.7	63.1
	40	6.4	12.8	19.2	25.6	32.0	38.4	44.8	51.2	57.6	64.0
	50	6.5	13.0	19.4	25.9	32.4	38.9	45.4	51.9	58.3	64.8
	60	6.5	13.1	19.6	26.2	32.7	39.3	45.8	52.4	58.9	65.5
	70	6.6	13.2	19.8	26.4	33.0	39.6	46.2	52.8	59.4	66.0
	80	6.7	13.3	20.0	26.6	33.3	39.9	46.5	53.2	59.8	66.5
	90	6.7	13.4	20.1	26.8	33.5	40.2	46.8	53.5	60.2	66.9
2	10	5.7	11.5	17.2	22.9	28.7	34.4	40.2	45.9	51.6	57.4
	20	5.9	11.9	17.8	23.7	29.7	35.6	41.5	47.4	53.4	59.3
	30	6.0	12.1	18.1	24.2	30.2	36.3	42.3	48.4	54.4	60.5
	40	6.1	12.3	18.4	24.5	30.7	36.8	42.9	49.1	55.2	61.3
	50	6.2	12.4	18.6	24.8	31.0	37.2	43.4	49.6	55.8	62.0
	60	6.3	12.5	18.8	25.0	31.3	37.5	43.8	50.0	56.3	62.5
	70	6.3	12.6	18.9	25.2	31.5	37.8	44.1	50.4	56.7	63.0
	80	6.3	12.7	19.0	25.4	31.7	38.1	44.4	50.7	57.1	63.4
	90	6.4	12.8	19.1	25.5	31.9	38.3	44.6	51.0	57.4	63.8
3	10	5.7	11.4	17.1	22.8	28.4	34.1	39.8	45.5	51.2	56.9
	20	5.9	11.7	17.6	23.4	29.3	35.1	41.0	46.8	52.7	58.5
	30	6.0	11.9	17.9	23.8	29.8	35.7	41.7	47.6	53.6	59.5
	40	6.0	12.1	18.1	24.1	30.1	36.2	42.2	48.2	54.2	60.3
	50	6.1	12.2	18.2	24.3	30.4	36.5	42.6	48.7	54.7	60.8
	60	6.1	12.3	18.4	24.5	30.6	36.8	42.9	49.0	55.2	61.3
	70	6.2	12.3	18.5	24.7	30.8	37.0	43.2	49.3	55.5	61.7
	80	6.2	12.4	18.6	24.8	31.0	37.2	43.4	49.6	55.8	62.0
	90	6.2	12.5	18.7	24.9	31.2	37.4	43.6	49.9	56.1	62.3
4	10	5.8	11.6	17.4	23.3	29.1	34.9	40.7	46.5	52.3	58.1
	20	6.0	12.0	18.0	24.0	29.9	35.9	41.9	47.9	53.9	59.9
	30	6.1	12.2	18.3	24.4	30.5	36.6	42.7	48.7	54.8	60.9
	40	6.2	12.3	18.5	24.7	30.8	37.0	43.2	49.4	55.5	61.7
	50	6.2	12.5	18.7	24.9	31.1	37.4	43.6	49.8	56.1	62.3
	60	6.3	12.6	18.8	25.1	31.4	37.7	43.9	50.2	56.5	62.8
	70	6.3	12.6	19.0	25.3	31.6	37.9	44.2	50.5	56.9	63.2
	80	6.4	12.7	19.1	25.4	31.8	38.1	44.5	50.8	57.2	63.5
	90	6.4	12.8	19.2	25.5	31.9	38.3	44.7	51.1	57.5	63.9

治理区	降雨频率(%)	治理度(%)									
		10	20	30	40	50	60	70	80	90	100
5	10	5.6	11.2	16.9	22.5	28.1	33.7	39.4	45.0	50.6	56.2
	20	5.8	11.6	17.4	23.2	29.0	34.8	40.6	46.4	52.2	58.0
	30	5.9	11.8	17.7	23.6	29.5	35.4	41.3	47.2	53.1	59.0
	40	6.0	12.0	17.9	23.9	29.9	35.9	41.8	47.8	53.8	59.8
	50	6.0	12.1	18.1	24.1	30.2	36.2	42.3	48.3	54.3	60.4
	60	6.1	12.2	18.3	24.3	30.4	36.5	42.6	48.7	54.8	60.8
	70	6.1	12.3	18.4	24.5	30.6	36.8	42.9	49.0	55.1	61.3
	80	6.2	12.3	18.5	24.7	30.8	37.0	43.1	49.3	55.5	61.6
	90	6.2	12.4	18.6	24.8	31.0	37.2	43.4	49.6	55.7	61.9
6	10	5.8	11.6	17.4	23.3	29.1	34.9	40.7	46.5	52.3	58.2
	20	6.1	12.1	18.1	24.2	30.2	36.3	42.3	48.4	54.4	60.5
	30	6.2	12.4	18.6	24.8	31.0	37.1	43.3	49.5	55.7	61.9
	40	6.3	12.6	18.9	25.2	31.5	37.8	44.0	50.3	56.6	62.9
	50	6.4	12.7	19.1	25.5	31.9	38.2	44.6	51.0	57.3	63.7
	60	6.4	12.9	19.3	25.8	32.2	38.6	45.1	51.5	57.9	64.4
	70	6.5	13.0	19.5	26.0	32.5	39.0	45.5	52.0	58.4	64.9
	80	6.5	13.1	19.6	26.2	32.7	39.3	45.8	52.4	58.9	65.4
	90	6.6	13.2	19.8	26.4	32.9	39.5	46.1	52.7	59.3	65.9
7	10	5.8	11.6	17.4	23.2	28.9	34.7	40.5	46.3	52.1	57.9
	20	6.0	11.9	17.9	23.9	29.9	35.8	41.8	47.8	53.8	59.7
	30	6.1	12.2	18.3	24.3	30.4	36.5	42.6	48.7	54.8	60.8
	40	6.2	12.3	18.5	24.7	30.8	37.0	43.1	49.3	55.5	61.6
	50	6.2	12.5	18.7	24.9	31.1	37.4	43.6	49.8	56.0	62.3
	60	6.3	12.6	18.8	25.1	31.4	37.7	43.9	50.2	56.5	62.8
	70	6.3	12.6	19.0	25.3	31.6	37.9	44.3	50.6	56.9	63.2
	80	6.4	12.7	19.1	25.4	31.8	38.2	44.5	50.9	57.2	63.6
	90	6.4	12.8	19.2	25.6	32.0	38.4	44.8	51.2	57.5	63.9
8	10	5.2	10.3	15.5	20.7	25.8	31.0	36.1	41.3	46.5	51.6
	20	5.3	10.6	15.9	21.2	26.5	31.8	37.1	42.4	47.7	53.0
	30	5.4	10.8	16.1	21.5	26.9	32.3	37.7	43.0	48.4	53.8
	40	5.4	10.9	16.3	21.7	27.2	32.6	38.1	43.5	48.9	54.4
	50	5.5	11.0	16.4	21.9	27.4	32.9	38.4	43.9	49.3	54.8
	60	5.5	11.0	16.6	22.1	27.6	33.1	38.6	44.2	49.7	55.2
	70	5.6	11.1	16.7	22.2	27.8	33.3	38.9	44.4	50.0	55.5
	80	5.6	11.2	16.7	22.3	27.9	33.5	39.0	44.6	50.2	55.8
	90	5.6	11.2	16.8	22.4	28.0	33.6	39.2	44.8	50.4	56.0

治理区	降雨频率(%)	治理度(%)									
		10	20	30	40	50	60	70	80	90	100
9	10	5.9	11.8	17.7	23.6	29.5	35.4	41.3	47.2	53.1	59.0
	20	6.1	12.2	18.2	24.3	30.4	36.5	42.6	48.7	54.7	60.8
	30	6.2	12.4	18.6	24.8	30.9	37.1	43.3	49.5	55.7	61.9
	40	6.3	12.5	18.8	25.1	31.3	37.6	43.8	50.1	56.4	62.6
	50	6.3	12.6	19.0	25.3	31.6	37.9	44.3	50.6	56.9	63.2
	60	6.4	12.7	19.1	25.5	31.9	38.2	44.6	51.0	57.3	63.7
	70	6.4	12.8	19.2	25.7	32.1	38.5	44.9	51.3	57.7	64.1
	80	6.5	12.9	19.4	25.8	32.3	38.7	45.2	51.6	58.1	64.5
	90	6.5	13.0	19.5	25.9	32.4	38.9	45.4	51.9	58.3	64.8
10	10	5.6	11.2	16.8	22.4	28.0	33.6	39.2	44.8	50.4	56.0
	20	5.7	11.5	17.2	22.9	28.6	34.4	40.1	45.8	51.5	57.3
	30	5.8	11.6	17.4	23.2	29.0	34.8	40.6	46.4	52.2	58.0
	40	5.9	11.7	17.6	23.4	29.3	35.2	41.0	46.9	52.7	58.6
	50	5.9	11.8	17.7	23.6	29.5	35.4	41.3	47.2	53.1	59.0
	60	5.9	11.9	17.8	23.8	29.7	35.6	41.6	47.5	53.4	59.4
	70	6.0	11.9	17.9	23.9	29.8	35.8	41.8	47.7	53.7	59.7
	80	6.0	12.0	18.0	24.0	30.0	36.0	42.0	47.9	53.9	59.9
	90	6.0	12.0	18.1	24.1	30.1	36.1	42.1	48.1	54.2	60.2
全区	10	5.7	11.4	17.0	22.7	28.4	34.1	39.7	45.4	51.1	56.8
	20	5.9	11.7	17.6	23.4	29.3	35.1	41.0	46.8	52.7	58.5
	30	6.0	11.9	17.9	23.8	29.8	35.7	41.7	47.7	53.6	59.6
	40	6.0	12.1	18.1	24.1	30.2	36.2	42.2	48.3	54.3	60.3
	50	6.1	12.2	18.3	24.4	30.5	36.6	42.6	48.7	54.8	60.9
	60	6.1	12.3	18.4	24.6	30.7	36.8	43.0	49.1	55.3	61.4
	70	6.2	12.4	18.5	24.7	30.9	37.1	43.3	49.5	55.6	61.8
	80	6.2	12.4	18.7	24.9	31.1	37.3	43.5	49.7	56.0	62.2
	90	6.3	12.5	18.8	25.0	31.3	37.5	43.8	50.0	56.3	62.5

表 5-12　　　　　黄土高原重点治理区不同治理度下的减沙效益、减沙量和土壤流失量

	降雨频率(%)	治理度(%)									
		10	20	30	40	50	60	70	80	90	100
减沙效益(%)	10	5.7	11.4	17.0	22.7	28.4	34.1	39.7	45.4	51.1	56.8
	20	5.9	11.7	17.6	23.4	29.3	35.1	41.0	46.8	52.7	58.5
	30	6.0	11.9	17.9	23.8	29.8	35.7	41.7	47.7	53.6	59.6
	40	6.0	12.1	18.1	24.1	30.2	36.2	42.2	48.3	54.3	60.3
	50	6.1	12.2	18.3	24.4	30.5	36.6	42.6	48.7	54.8	60.9
	60	6.1	12.3	18.4	24.6	30.7	36.8	43.0	49.1	55.3	61.4
	70	6.2	12.4	18.5	24.7	30.9	37.1	43.3	49.5	55.6	61.8
	80	6.2	12.4	18.7	24.9	31.1	37.3	43.5	49.7	56.0	62.2
	90	6.3	12.5	18.8	25.0	31.3	37.5	43.8	50.0	56.3	62.5
减沙量(万t)	10	16 541.9	33 081.6	49 620.3	66 158.5	82 696.3	99 233.8	115 770.9	132 307.9	148 844.6	165 381.2
	20	12 061.7	24 121.8	36 181.2	48 240.2	60 299.0	72 357.4	84 415.7	96 473.8	108 531.8	120 589.6
	30	9 422.1	18 842.8	28 263.1	37 683.0	47 102.7	56 522.2	65 941.6	75 360.8	84 779.9	94 198.9
	40	7 631.7	15 262.4	22 892.6	30 522.6	38 152.4	45 782.0	53 411.6	61 041.0	68 670.3	76 299.5
	50	6 339.5	12 678.1	19 016.4	25 354.4	31 692.3	38 030.1	44 367.8	50 705.4	57 042.9	63 380.3
	60	5 371.0	10 741.3	16 111.2	21 481.0	26 850.7	32 220.2	37 589.7	42 959.1	48 328.4	53 697.6
	70	4 625.4	9 250.1	13 874.6	18 498.9	23 123.1	27 747.2	32 371.3	36 995.3	41 619.2	46 243.0
	80	4 039.6	8 078.6	12 117.5	16 156.1	20 194.7	24 233.2	28 271.7	32 310.0	36 348.4	40 386.6
	90	3 571.4	7 142.3	10 713.0	14 283.6	17 854.1	21 424.6	24 994.9	28 565.3	32 135.5	35 705.8
土壤流失量(万t)	10	274 726.5	258 186.8	241 648.1	225 109.9	208 572.1	192 034.6	175 497.5	158 960.5	142 423.8	125 887.2
	20	193 983.3	181 923.2	169 863.8	157 804.7	145 746.0	133 687.6	121 629.3	109 571.2	97 513.2	85 455.4
	30	148 703.8	139 283.0	129 862.8	120 442.8	111 023.1	101 603.6	92 184.3	82 765.0	73 346.0	63 927.0
	40	118 847.5	111 216.8	103 586.6	95 956.6	88 326.8	80 697.1	73 067.6	65 438.2	57 808.9	50 179.7
	50	97 704.4	91 365.8	85 027.5	78 689.5	72 351.6	66 013.8	59 676.1	53 338.5	47 001.0	40 663.6
	60	82 078.5	76 708.3	71 338.3	65 968.5	60 598.8	55 229.3	49 859.8	44 490.4	39 121.1	33 751.9
	70	70 178.3	65 553.6	60 929.1	56 304.8	51 680.6	47 056.4	42 432.4	37 808.4	33 184.5	28 560.6
	80	60 910.6	56 871.5	52 832.7	48 794.0	44 755.4	40 716.9	36 678.5	32 640.1	28 601.8	24 563.5
	90	53 556.1	49 985.2	46 414.5	42 843.9	39 273.4	35 703.0	32 132.6	28 562.3	24 992.0	21 421.7
土壤流失强度	10	18 437.7	17 327.7	16 217.7	15 107.8	13 997.9	12 888.0	11 778.2	10 668.3	9 558.5	8 448.7
	20	13 018.8	12 209.4	11 400.1	10 590.8	9 781.5	8 972.2	8 162.9	7 353.7	6 544.4	5 735.2
	30	9 980.0	9 347.7	8 715.5	8 083.3	7 451.1	6 818.9	6 186.8	5 554.6	4 922.5	4 290.3
	40	7 976.2	7 464.1	6 952.0	6 439.9	5 927.9	5 415.8	4 903.8	4 391.8	3 879.7	3 367.7
	50	6 557.2	6 131.8	5 706.5	5 281.1	4 855.7	4 430.4	4 005.0	3 579.7	3 154.4	2 729.1
	60	5 508.5	5 148.1	4 787.7	4 427.3	4 067.0	3 706.6	3 346.2	2 985.9	2 625.5	2 265.2
	70	4 709.9	4 399.5	4 089.1	3 778.8	3 468.4	3 158.1	2 847.8	2 537.4	2 227.1	1 916.8
	80	4 087.9	3 816.8	3 545.8	3 274.7	3 003.7	2 732.6	2 461.6	2 190.6	1 919.6	1 648.5
	90	3 594.3	3 354.7	3 115.0	2 875.4	2 635.8	2 396.1	2 156.5	1 916.9	1 677.3	1 437.7

注:土壤流失强度的单位为 t/(km²·a)。

从表 5-12 的结果可以看出：

(1)当治理度达到 50％时，平水年($P=50$％)坡面梯田和林草措施的减沙效益为30.5％，其土壤流失量可由 10.4 亿 t 减少到 7.2 亿 t；枯水年($P=80$％)坡面梯田和林草措施的减沙效益为 31.1％，其土壤流失量可由 6.5 亿 t 减少到 4.5 亿 t；丰水年($P=20$％)坡面梯田和林草措施的减沙效益为 29.3％，其土壤流失量可由 20.6 亿 t 减少到14.6 亿 t。

(2)当治理度为 80％时，平水年($P=50$％)坡面梯田和林草措施的减沙效益为48.7％，其土壤流失量可由 10.4 亿 t 减少到 5.3 亿 t；枯水年($P=80$％)坡面梯田和林草措施的减沙效益为 49.7％，其土壤流失量可由 6.5 亿 t 减少到 3.3 亿 t；丰水年($P=20$％)坡面梯田和林草措施的减沙效益为 46.8％，其土壤流失量可由 20.6 亿 t 减少到11.0 亿 t。

(3)在完全治理的情况下(治理度为 100％)，平水年($P=50$％)坡面梯田和林草措施的减沙效益为 60.9％，其土壤流失量可由 10.4 亿 t 减少到 4.1 亿 t；枯水年($P=80$％)坡面梯田和林草措施的减沙效益为 62.2％，其土壤流失量可由 6.5 亿 t 减少到 2.5 亿 t；丰水年($P=20$％)坡面梯田和林草措施的减沙效益为 58.5％，其土壤流失量可由 20.6 亿 t减少到 8.5 亿 t。

四、不同治理程度下未来黄河泥沙量的预测

1955～1969 年重点治理区的年平均产沙量为 15.2 亿 t，同期黄河的输沙量(河、龙、华、洑)为 17.8 亿 t，重点治理区的产沙量占黄河输沙量的 85.4％。根据重点治理区与黄河总输沙量的比例关系，计算相应情况下不同水文年份与不同治理度下的黄河输沙量如下：

(1)当治理度达到 50％时，在平水年份，黄河输沙量可由治理前(1955～1969 年平均值，下同)的 12.2 亿 t 减少到 8.5 亿 t，减沙 3.7 亿；在枯水年份可由 7.6 亿 t 减少到 5.2亿 t，减沙 2.4 亿 t；在丰水年份可由 24.1 亿 t 减少到 17.1 亿 t，减沙 7.1 亿。在平均状态下，若减沙效益按 30％计算，黄河输沙量可由治理前的 17.8 亿 t 减少到 12.5 亿 t，减沙5.3 亿 t。

(2)当治理度达到 80％时，在平水年份，黄河输沙量可由治理前(1955～1969 年平均值，下同)的 12.2 亿 t 减少到 6.2 亿 t，减沙 5.9 亿 t；在枯水年份可由 7.6 亿 t 减少到 3.8亿 t，减沙 3.8 亿 t；在丰水年份可由 24.1 亿 t 减少到 12.8 亿 t，减沙 11.3 亿 t；在平均状态下，若减沙效益按 48％计算，黄河输沙量可由治理前的 17.8 亿 t 减少到 9.3 亿 t，减沙8.5亿 t。

(3)在完全治理的情况下(治理度为 100％)，黄河输沙量在平水年份可由治理前(1955～1969 年平均值，下同)的 12.2 亿 t 减少到 4.8 亿 t，减沙 7.4 亿 t；在枯水年份可由7.6 亿 t 减少到 2.9 亿 t，减沙 4.7 亿 t；在丰水年份可由 24.1 亿 t 减少到 10.0 亿 t，减沙14.1 亿 t；在平均状态下，若减沙效益按 60％计算，黄河输沙量可由治理前 17.8 亿 t 减少到 7.1 亿 t，减沙 10.7 亿 t。

(4)按照 1919～1969 年黄河年均输沙量 16 亿 t 计算，在完全治理的情况下，黄河输沙量可减少到 6.4 亿 t 左右。

第六章 水土保持防蚀减沙效益评价

黄河隐患的症结是泥沙问题,而解决泥沙问题的根本措施在于中游黄土高原地区的水土保持工作。因此,黄土高原水土保持工作的一个主要任务是减少入黄泥沙。在黄河中游水土保持委员会第六次会议上,明确提出黄土高原水土保持工作要以控制水土流失为根本,以减少流入黄河泥沙、恢复植被、改善环境和群众的生活生产条件为目标。水土保持的减沙作用包括梯田、林草等坡面措施的减沙作用和淤地坝、治沟骨干工程的拦沙作用。

第一节 单项措施的防蚀减沙效益

关于水土保持单项措施的防蚀减沙效益,在一些坡面小区试验和专项研究中取得了明显的作用和比较一致的认识。

一、坡面措施

根据黄土高原各地水平梯田年减蚀效益分析资料,水平梯田的减沙效益在91.0%~100%之间。黄河水利委员会绥德水土保持科学试验站在韭园沟王茂庄观测,1961年一次降雨134.3mm,坡耕地产生径流深为38mm,每公顷冲刷土壤377t,而水平梯田仅产生径流深为7.8mm,每公顷冲刷土壤2.97t,分别比坡耕地减少了79.4%和97.7%。延安地区水土保持研究所试验结果,水平梯田比坡耕地减少径流93.2%~100%,减少土壤冲刷量88.4%~100%。蒋定生在中国科学院安塞水土保持综合试验站的观测表明,蓄水埂维护很好的水平梯田和隔坡梯田(蓄水埂高25cm,平坡比1:1),无论是整个汛期,还是次暴雨,都不产生水土流失[1];在50~70min时间内,降水80~90mm基本上都能全部就地入渗,不发生径流[2]。据蒋定生试验结果,水平梯田20min的入渗水量达到85mm,入渗速率为4.1mm/min[3]。我们分析计算,延安、绥德、兴县等地10年一遇24h最大降雨量在80~120mm之间,因此,高标准的梯田基本可以防御10年一遇的暴雨。高荣乐同样认为,梯田在24h降水100mm的情况下,一般水不出田,减少土壤流失量95%以上[4]。

关于林草措施的防蚀和减沙作用,进行了大量的试验研究。郝建忠(1993年)[5]对黄丘一区的绥德、离石、延安等地3~4年以上造林地和人工牧草观测资料分析表明,林地平均年减沙效益为83%;草地平均减沙效益为73.5%。蒋定生等(1992年)[6]分析了安塞、离石等综合治理试验区的观测资料表明,与坡耕地相比,覆盖度为85%的沙棘林地减沙效益为98%;盖度在65%~80%的刺槐和柠条林,减沙效益为99%;覆盖度为60%~70%的沙打旺人工草地,减沙效益达92%。当植被盖度小于40%时,减沙效益明显降低。侯喜禄等(1991年)[7]的研究结果表明:柠条成林、6~15年刺槐林效益最好,减沙达90%以上,当覆盖度达75%以上时,林地侵蚀轻微;随林龄增大,土壤侵蚀量减小,7年以后,林地侵蚀量甚微。曾伯庆等(1991年)[8]的研究结果表明,不同植被度对产流产沙过程均有明显的削减作用,其作用大小随植被度的增加而增加。当植被度为 20%～40%时,减沙率为54%～79%;当植被度为 60%～80%时,减沙率为 77%～95%。即植被度大于 60%时,防止流失的作用比较稳定,小于 60%时,作用不稳定。侯喜禄等[7]对沙打旺、紫花苜蓿、红豆草等牧草地的保水保土效益研究表明,沙打旺草地效益最好,较农地可减少径流量69.3%、侵蚀量 95.8%;紫花苜蓿和红豆草稍差,比农地减少径流量 34.3%、51.6%,减少侵蚀量 59.7%、51.2%。在其他条件相同的情况下,5 年生沙打旺草地(覆盖度 95%)比 2 年生沙打旺草地(覆盖度 40%)可减少径流量 15.3%,减少冲刷量 37.3%。通过上述研究结果,大家普遍认为,林草措施的防蚀减沙作用是十分明显的,而这种作用的发挥主要取决于林草植被的盖度和类型。经我们统计分析,当林草植被盖度<30%时,减沙作用较小(林地 20%、草地 10%以下),当植被盖度>60%时,减沙作用明显(林地 65%、草地 50%以上)。要使林草措施在大范围内发挥比较稳定的整体减沙作用,其林地盖度应达到 70%,草地盖度应达到 80%。

除了林草和梯田措施外,以改变微地形、增加地面覆盖和蓄水保墒为目的的坡面耕作措施也发挥了一定的防蚀减沙作用。卢宗凡等在安塞进行的试验表明:草粮等高带状间轮作试验,与传统方式种植农作物(平播)相比,可减少侵蚀量 1/5～1/3,紫花苜蓿+马铃薯的侵蚀模数比单种马铃薯减少侵蚀量 50%以上。草灌等高间作可提高草地的水土保持作用,沙打旺+柠条比单种沙打旺减少侵蚀量 26.9%。水平沟种植是黄土高原水土流失区普遍推广的一种水土保持耕作方法,试验表明,水平沟种植较平播减少土壤侵蚀量 30%～50%[1,9]。

二、淤地坝

淤地坝是最主要的沟道拦沙措施,不论从单坝和小流域、大流域的淤地坝资料,都说明坝系的拦泥减沙效益是十分显著的。陈同善等[10](1984 年)对无定河流域的绥德、子洲、横山、清涧、靖边等县 1 019 座淤地坝的统计,平均拦泥量为 59 340m³/hm²;黄委会黄河上中游管理局对无定河流域不同坝系的拦沙量进行了调查,平均为 57 150m³/hm²[11];山西忻州地区水保局分析了晋西北不同坝系每公顷坝地的拦泥量,平均为 76 950 m³/hm²[11];黄委会绥德水保站详细地测量了无定河、黄甫川的 54 座淤地坝,并根据全流域典型的大小坝配置比例,得到调查区坝地拦沙定额为 60 000m³/hm²[11];绥德王茂沟流域,从 1953 年到 1986 年淤地坝拦沙总量为 166.5 万 t,年均拦沙 5.05 万 t,流域输沙模数由治理前的 18 000t/(km²·a)降低到治理后期的 504t/(km²·a)减少了 97%,基本上实现了对泥沙的完全控制[12]。坝系拦沙作用的大小主要是由坝高决定的,据无定河流域调查,坝高在 11～15m、16～20m、21～25m、26～30m 、31～35m 时,其拦泥量分别为 3.66 万m³/hm²、4.83 万 m³/hm²、6.08 万 m³/hm²、8.87 万 m³/hm²、10.45 万 m³/hm²[1]。

第二节 中小尺度的综合治理效益

经过综合治理的小流域和集中连片治理的支流,取得了明显的减沙效益,为大家所共识。

一、小流域

从 20 世纪 80 年代开始,黄土高原大规模地开展了以小流域为单元的综合治理,坚持治坡与治沟相结合,根据小流域地貌特点和水土流失规律,进行措施优化配置,取得了显著的水土保持减沙作用,特别是体现了坡面措施在小流域治理与减沙效益评价中的地位和作用。国家科技攻关开展的 11 个小流域治理试验示范研究,到"九五"末,试区林草覆盖率平均达到 44.5%,泥沙流失量较治理前减少了 58.8%,治理度达到了 72.6%,水土流失得到有效控制[13]。位于陇中黄土丘陵沟壑区的定西高泉沟小流域,从 1985 年到 1998 年,经过近 15 年的治理,治理度由 39.5% 提高到 93.3%,林草面积率由 23% 提高 46.6%,人均基本农田由 0.104hm² 增加到 0.256hm²,侵蚀模数由 6 120t/(km²·a)减少到 605t/(km²·a),减沙率达到 90.1%[14]。位于黄土高塬沟壑区的淳化泥河沟小流域,坚持沟坡结合、防治并重、恢复和重建多类型植被,形成从塬面到沟床"四道"防治体系,即塬面以梯田果林为主,沟沿以林埂为主,沟坡以封育林草为主,沟底以坝系防冲林为主,使全流域治理程度达 83%,林草被覆 61.7%,侵蚀模数减至 500t/(km².a)以下[15]。位于陕北黄土丘陵沟壑区的安塞纸坊沟流域,经过近 20 年的综合治理,到 1995 年,林草地面积达到了 41.2%,人均基本农田 0.18hm²、林地 0.47hm²、人工草地 0.14hm²,治理度达到 65.5%。侵蚀模数由 1980 年的 14 000t/(km²·a)减少到 2 240t/(km²·a),扣除降雨因素,水土保持减沙效益达到 60% 左右[16,17]。陕北绥德韭园沟小流域,面积 70.1km²,1953 年开始治理,到 1988 年,治理程度达 56.3%,据绥德水保站 1954~1988 年观测资料分析,治理前流域平均年输沙模数 19 378t/km²,治理后年输沙模数 7 944t/km²,治理后比治理前减少泥沙 59.7%[18]。上述典型流域的试验资料充分说明,只要坚持治坡与治沟相结合,优化配置水土保持措施,通过 10~20 年的治理,完全可以实现减沙率 60% 以上的目标。

二、重点治理支流

无定河、黄甫川、三川河和定西县是 1983 年列入国家重点治理的支流和地区,经过一期 13 年的重点治理,到 1995 年底,累计治理程度达到 59.2%,减沙率 50% 以上,其中有 80% 的重点治理小流域减沙率在 70% 以上,取得了明显的效果,有效地控制了该区域的水土流失[19]。

榆林地区无定河流域列入一期重点治理的共 142 条小流域,面积 8 025km²,10 年兴建基本农田(包括梯田、坝地)6.7 万 hm²,占治理面积的 16.7%;造林 24 万 hm²,占治理面积的 62.6%;人工种草 3.4 万 hm²,占治理面积的 8.3%;修筑等高灌木带 1.1 万 hm²,可控制坡耕地水土流失面积 5 万 hm²,占治理面积的 12.4%;兴建大小淤地坝 2 013 座。10 年初步治理面积占水土流失面积的 55.1%,减沙 61.4%,累计治理度达 79.2%[20]。黄甫川流域准格尔旗一期开展的 38 条小流域,通过 10 年综合治理,植被度由治理前的 9% 提高到 70.6%,累计治理程度达 73.8%,减沙率 70.6%[21]。三川河流域列入一期重点治理工程的有 71 条小流域,10 年完成初步治理面积 570.1km²,占水土流失面积的 57.6%,减沙 50% 以上,累计治理度达 73.4%[22]。

第三节 区域性减沙效益评价

20世纪70年代以来,黄河泥沙明显减少。围绕黄河泥沙减少的原因,许多单位和大量的科技工作者进行了广泛而深入的研究,取得了大批研究成果。主要包括水利部设立的黄河水沙变化研究基金课题"黄河水沙变化及其影响研究"(简称"水沙基金",一、二期);黄委会设立的水保科研基金"黄河中游多沙粗沙区水利水保措施减水减沙效益及水沙变化趋势研究"课题(简称水保基金,一、二期);国家自然科学基金重大研究项目"黄河流域环境演变与水沙运行规律"中"黄河流域侵蚀产沙规律及水保减沙效益分析"课题(简称自然基金);国家"八五"科技攻关项目"黄河中游多沙粗沙区治理研究"中"多沙粗沙区水沙变化原因分析及发展趋势预测"专题(简称国家"八五"攻关);黄河上中游管理局"八五"重点课题"黄河中游河口镇至龙门区间水土保持措施减水减沙效益研究"(简称"八五"重点课题);以及国家"八五"攻关项目"黄土高原水土流失区综合治理与农业发展研究"中"区域水土保持与农业发展综合研究"专题和其他研究课题。

一、20世纪70年代以来黄河泥沙的变化及减沙原因分析

表6-1～表6-4是根据黄河水沙变化基金课题提供的黄河上中游输沙量变化(1950～1989年)和我们计算的黄河上中游地区(见图2-1)侵蚀产沙量的变化情况。从计算结果看,输沙量较侵蚀产沙量相差2亿t左右,这说明在黄河中游地区自身就有2亿t的泥沙淤积。如果将侵蚀产沙单元划分得更细一些,计算得更精确一些,黄河中游地区的侵蚀产沙量与输沙量相差2.5亿t以上(我们计算1955～1989年黄河中游侵蚀产沙量与输沙量相差2.3亿t)。由于70年代以后,降雨因素和水土保持综合治理作用的影响,使中游地区的淤积量加大,这样使得70年代、80年代较60年代的侵蚀产沙量减幅不如输沙量减幅大,例如,1970～1979年、1980～1989年、1970～1989年分别较1960～1969年的输沙量减少了3.01亿t、8.54亿t和5.76亿t;而同期相比的侵蚀产沙量分别减少了2.05亿t、8.18亿t和4.97亿t。

表6-1 　　　　　　　黄河中游输沙量变化(1950～1989年)　　　　　　(单位:亿t)

河名	站名	1960～1969年	1970～1979年	1980～1989年	1950～1969年	1970～1989年
干流	河口镇—龙门	9.53	7.54	3.71	9.94	5.63
汾河	河津	0.35	0.19	0.05	0.53	0.12
北洛河	洑头	0.99	0.80	0.47	0.96	0.64
泾河	张家山	2.63	2.51	1.82	2.64	2.17
渭河	咸阳	1.95	1.39	0.86	1.77	1.13
合计		15.45	12.43	6.91	15.84	9.69

注:据水利部黄河水沙变化研究基金会《黄河水沙变化及其影响综合分析报告》(第2期,2001年3月)计算。

表6-2 黄河中游侵蚀产沙量变化（1955～1989年） （单位：亿t）

河名	站名	1960～1969年	1970～1979年	1980～1989年	1955～1969年	1970～1989年
干流	河口镇—龙门	9.58	8.54	4.14	10.84	6.48
汾河	河津	0.67	0.45	0.23	0.84	0.34
北洛河	洑头	1.07	0.85	0.55	1.05	0.70
泾河	张家山	2.92	2.72	1.99	3.20	2.36
渭河	咸阳	2.28	1.91	1.43	2.57	1.67
合计		16.52	14.47	8.34	18.50	11.55

表6-3 70年代以后黄河中游输沙量变化 （单位：亿t）

河名	站名	较1960～1969年减少			较1950～1969年减少		
		1970～1979年	1980～1989年	1970～1989年	1970～1979年	1980～1989年	1970～1989年
干流	河口镇—龙门	1.98	5.82	3.90	2.40	6.23	4.31
汾河	河津	0.16	0.30	0.23	0.34	0.48	0.41
北洛河	洑头	0.19	0.52	0.35	0.16	0.49	0.32
泾河	张家山	0.12	0.81	0.46	0.13	0.82	0.47
渭河	咸阳	0.56	1.09	0.82	0.38	0.91	0.64
合计		3.01	8.54	5.76	3.41	8.93	6.15

注：据水利部黄河水沙变化研究基金会《黄河水沙变化及其影响综合分析报告》（第2期，2001年3月）计算。

表6-4 70年代以后黄河中游侵蚀产沙量变化 （单位：亿t）

河名	站名	较1960～1969年减少			较1955～1969年减少		
		1970～1979年	1980～1989年	1970～1989年	1970～1979年	1980～1989年	1970～1989年
干流	河口镇—龙门	1.04	5.44	3.10	2.30	6.70	4.36
汾河	河津	0.22	0.44	0.33	0.39	0.61	0.50
北洛河	洑头	0.22	0.52	0.37	0.2	0.50	0.35
泾河	张家山	0.20	0.93	0.56	0.48	1.21	0.84
渭河	咸阳	0.37	0.85	0.61	0.66	1.14	0.90
合计		2.05	8.18	4.97	4.03	10.16	6.95

关于黄河中游20世纪70年代以来泥沙减少的原因，许多研究者采用不同的方法，从

降雨和人为活动影响两个方面进行了分析(表6-5)。据陈永宗分析[23],1971～1985年黄河的输沙量比1954～1970年减少了42.6%(7.93亿t),其中水利水保措施减沙量3.35亿t(包括水库和引洪灌溉1.191亿t和水平梯田、坝地等水保措施减沙2.16亿t),占总减沙的42.2%;降雨因素占57.8%。朱同新[24]用分段年降雨量指标法得出70年代以来,黄河中上游地区降水量平均减少11.08%,因降水量减少引起的减沙效益为20.17%,水利水保措施的减沙效益为18.59%(各占比例为52.0%和48.0%)。赵业安等[25]通过对15条流域暴雨指标与沙量关系的分析得出:河龙区间80年代(1980～1989年)较70年代以前减沙6.11亿t(减少66.3%),其中降雨因素引起的减沙量为3.07亿t(占总减沙量的50.2%),流域综合治理引起的减沙量为3.04亿t(占总减沙量的49.8%),泾渭河80年代较70年代以前减沙1.81亿t(减少43.4%),其中降雨因素引起的减沙量为0.82亿t(占总减沙量的45.3%),流域综合治理引起的减沙量为0.99亿t(占总减沙量的54.7%)。王云璋[26]用盛夏期间(7月1日至9月10日)的中雨、大雨、暴雨日次与累积雨量的变化,推算出70年代(1970～1979年)较60年代以前(1955～1969年)河龙区间降雨和水利水保措施的影响作用分别为41.3%和58.7%,80年代(1980～1989年)较60年代以前(1955～1969年)各占50.2%和49.8%;泾渭河70年代减沙的降雨和水利水保措施各占63%和37%,80年代减沙的比例各占45.3%和54.7%。董雪娜[27]用大于30mm日雨量与产沙的相关关系,推算出:70年代以来(1970～1986年)黄河中游地区较1954～1969年水利水保措施减沙量为3.571亿t,其中河龙区间为2.208亿t,泾洛渭为0.94亿t。黄河中游地区按总减沙7.45亿t计算,水利水保措施占47.9%,其中河龙区间为46.6%,泾洛渭为54.9%。时明立[28]采用水文计算河龙区间70年代(1970～1979年)较60年代以前(1954～1969年)减沙2.86亿t,其中人类活动影响占42.0%,降雨因素影响占58.0%;80年代(1980～1989年)较60年代以前(1954～1969年)减沙6.68亿t,其中人类活动影响占49.7%,降雨因素影响占50.3%。熊贵枢[29]计算出各年代黄河中游支流水库和水保措施(不包括三门峡水库)的拦沙量分别为50年代(1950～1959年)1.09亿t;60年代(1960～1969年)13.85亿t;70年代(1970～1979年)38.51亿t;80年代(1980～1989年)25.89亿t。刘万铨在《黄河流域水土保持减沙作用研究初步成果》一文中,用水保法计算得出80年代(1980～1989年)的年均总减沙量为11.577亿t,其中,水土保持措施4.985亿t,占43.06%;水库拦沙和灌溉引沙2.514亿t,占21.7%;降雨因素影响4.078亿t,占35.2%。张仁、丁联臻在《黄河水沙变化的成因分析方法》一文中,经过对各研究课题成果的汇总,得出河龙区间80年代由于暴雨减少产生的减沙量为2.61亿t,占减沙总量的41.8%,由于人类活动影响的减沙量为3.62亿t,占减沙总量的58.2%。张胜利等[30]对黄河多沙粗沙区输沙量变化原因进行了分析,80年代较1969年以前平均减沙7.418亿t,其中气候因素减沙3.472亿t,占总减沙的46.8%;水利水保工程拦减3.946亿t,占总减沙的53.2%。1970～1989年年均减沙5.257亿t,气候因素减沙占总减沙的28.5%;水利水保工程拦减占总减沙的71.5%。冉大川等[31]在二期水沙基金研究中,计算河龙区间21条支流在70年代的减沙中,降雨因素占33.1%,人为作用占66.9%;在80年代的减沙中,降雨因素占42.2%,人为作用占57.8%;在70年代以后的减沙中,降雨因素占35.6%,人为作用占64.4%。笔者采用降雨侵蚀力的方法[32],计算得出黄河中游 1970~1986 年较 1955~1969 年的减沙中,人为减沙量占 56.3%,降雨因素占 43.7%。

表 6-5　70 年代以来黄河中游减沙原因分析

研究者	区间范围	比较时段	减沙原因(%)	
			降雨因素	人为作用
冉大川等	河龙区间	1970~1979 年较 1954~1969 年	33.1	66.9
		1980~1989 年较 1954~1969 年	42.2	57.8
		1970~1996 年较 1954~1969 年	35.6	64.4
张胜利等	多沙粗沙区	1980~1989 年较 60 年代以前	46.8	53.2
		1970~1989 年较 60 年代以前	28.5	71.5
时明立	河龙区间	1970~1979 年较 1954~1969 年	58.0	42.0
		1980~1989 年较 1954~1969 年	50.3	49.7
董雪娜	黄河中游	1970~1986 年较 1954~1969 年	52.1	47.9
	河龙区间	1970~1986 年较 1954~1969 年	54.0	46.0
	泾、洛、渭河	1970-1986 年较 1954~1969 年	46.0	54.0
张仁等	河龙区间	1980~1989 年较 1954~1969 年	41.8	58.2
王云璋	河龙区间	1970~1979 年较 1955~1969 年	41.3	58.7
		1980~1989 年较 1955~1969 年	50.2	49.8
	泾、渭河	1970~1979 年较 1955~1969 年	63.0	37.0
		1980~1989 年较 1955~1969 年	45.3	54.7
赵业安	河龙区间	1980~1989 年较 70 年代以前	50.2	49.8
	泾、渭河	1980~1989 年较 70 年代以前	45.3	54.7
朱同新	黄河上中游	1970~1986 年较 60 年代以前	52.0	48.0
刘万铨	黄河上中游	1980~1989 年	35.2	64.8
陈永宗	黄河上中游	1971~1985 年较 1954~1970 年	57.8	56.3
王万忠	黄河中游	1970~1986 年较 1955~1969 年	43.7	56.3

从上述大量研究结果可以看出:尽管各研究者计算所得降雨因素与人为作用各自占减沙的比重程度不尽相同,有些差异很大,但总体反映了以下趋势:一是对 80 年代减沙的主要原因大家认识基本一致,降雨因素略低于人为因素的影响,分别占总减沙量的 45% 和 55%。若按 1980~1989 年较 1950~1969 年年均总减沙的 8.93 亿 t 计算,降雨因素减沙 4.02 亿 t,人为作用减沙 4.91 亿 t。二是 70 年代以后(1970~1989 年)的平均减沙情况,降雨因素和人为作用大致可占 35%~45% 和 65%~55% 之间。按各占 40% 和 60% 计算,在 1970~1989 年较 1950~1969 年年均总减沙的 6.15 亿 t 中,降雨因素减沙 2.46

亿 t，人为作用减沙 3.69 亿 t。三是对 70 年代的减沙原因存在较大分歧，主要是对降雨因素的影响看法不一，即使按降雨影响的最低作用(30%计算)，在 1970～1979 年较 1950～1969 年年均总减沙的 3.41 亿 t 中，降雨因素减沙 1.02 亿 t，人为作用减沙 2.39 亿 t。实际各家普遍计算的水利水保措施减沙量达 3.3 亿～3.7 亿 t。据张胜利等计算，黄河中游多沙粗沙区(河龙区间＋北洛河刘家河以上＋泾河西川庆阳以上)1970～1979 年计算的年均输沙量为 12.58 亿 t，实测值为 9.02 亿 t，水利水保措施减沙 3.56 亿 t，而 70 年代实测年均沙量较 60 年代以前只减少了 3.1 亿 t，计算的水利水保措施减沙量高出了实测的总减沙量，这说明 70 年代的降雨量较 60 年代以前有增无减，或者降雨总量虽然减少了，但是几场特大暴雨造成的垮坝等破坏作用增加了这一时期的侵蚀产沙量。

二、水利水保措施减沙作用

关于水利水保措施的减沙作用，多采用"水文法"和"水保法"两种计算方法。"水文法"是先利用治理前实测的水文资料，建立降雨径流泥沙关系式(水文统计模型)，再以治理后的降雨资料代入关系式，求得在未治理情况下可能产生的泥沙量(亦称自然产沙量)，用计算所得的自然泥沙量减去治理后实测的泥沙量，为经过治理后减沙量。"水保法"是先计算各种措施的减沙指标和减沙效益，再根据各种措施的治理面积分别计算各项水利水保措施的减沙量。

表 6-6 是三大基金课题分别用"水文法"和"水保法"计算所得的黄河中游(包括河龙区间、泾河、渭河、北洛河和汾河，面积 28.2 万 km^2)水利水保措施减沙效益。从 70 年代和 80 年代看，70 年代三大基金计算结果相差不大，除水沙基金"水文法"和水保基金"水保法"分别为 3.6 亿 t 和 3.7 亿 t 外，其余都在 3.3 亿 t 左右。80 年代各家计算结果相差较大，一是水沙基金所得结果明显高出其他结果，用"水文法"计算，分别较水保基金和自然基金多 2.4 亿 t 和 1.6 亿 t；用"水保法"计算，分别较水保基金和自然基金多 2.3 亿 t 和 2.4 亿 t。二是"水文法"较"水保法"所得结果明显偏大，其中水沙基金高出 1.1 亿 t，水保基金高出 1.0 亿 t，自然基金高出 1.9 亿 t。现普遍认为，70 年代以来水利水保措施年均减沙量为 3.5 亿 t，社会公布值为 3 亿 t。

表 6-6   黄河中游减沙效益计算成果对比   (单位：亿 t)

年　代	水沙基金		水保基金		自然基金	
	水文法	水保法	水文法	水保法	水文法	水保法
70 年代	3.643	3.372	3.256	3.709	3.322	3.285
80 年代	5.922	4.768	3.510	2.519	4.338	2.424
70 年代以后	4.783	4.070	3.383	3.114	3.830	2.855

注：据冉大川《黄河中游河龙区间水沙变化研究综述》，70 年代以后为 70 年代和 80 年代平均值。

三、水利水保各单项措施的减沙作用

二期黄河水沙基金在一期的基础上，对黄河中游地区水利水保各单项措施的减沙作用进行了深入系统地分析，其结果见表 6-7。同时，冉大川等对河龙区间各项措施的减沙

效益进行了统计计算(见表 6-8)。刘万铨计算 80 年代减沙中,水保措施占 43.1%,水利措施占 21.7%。据有关资料显示,在丘陵沟壑区,坡面措施减沙量占总减沙量的 41.2%,淤地坝减沙量占总减沙量的 58.8%。在坡面措施中,梯田减沙量占 13.9%,林草措施占 27.3%[33]。

表 6-7　　　　　　　　　　　黄河中游水利水保措施减沙效益

水利水保措施			减沙量(亿 t)			减沙比例(%)		
			1960~ 1969 年	1970~ 1979 年	1980~ 1989 年	1960~ 1969 年	1970~ 1979 年	1980~ 1989 年
水保措施	坡面措施	梯田	0.069	0.347	0.599	4.5	9.0	3.0
		造林	0.133	0.406	1.000	8.6	10.5	21.7
		种草	0.007	0.045	0.120	0.5	1.2	2.6
		小计	0.209	0.798	1.719	13.6	20.6	37.3
	沟道措施	坝地	0.280	1.714	1.777	18.2	44.3	38.6
	合计		0.489	2.512	3.496	31.7	64.9	75.9
水利措施	水库		0.490	0.904	0.839	31.8	23.4	18.2
	灌溉		0.562	0.452	0.271	36.5	11.7	5.9
	合计		1.052	1.356	1.110	68.3	35.1	24.1
总计			1.541	3.868	4.606	100.0	100.0	100.0

注:根据水利部黄河水沙变化研究基金会《黄河水沙变化及其影响综合分析报告》(第 2 期)统计。

表 6-8　　　　　　　　　　　河龙区间水利水保措施减沙效益

水利水保措施			减沙量(亿 t)			减沙比例(%)		
			1970~ 1979 年	1980~ 1989 年	1970~ 1989 年	1970~ 1979 年	1980~ 1989 年	1970~ 1989 年
水保措施	坡面措施	梯田	0.170	0.190	0.180	6.7	8.0	7.4
		造林	0.274	0.548	0.411	10.9	23.2	16.9
		种草	0.037	0.056	0.046	1.5	2.4	1.9
		小计	0.481	0.793	0.637	19.1	33.6	26.1
	沟道措施	坝地	1.581	1.140	1.361	62.8	48.3	55.8
	合计		2.062	1.933	1.998	81.9	81.9	81.9
水利措施	水库		0.409	0.383	0.396	16.2	16.2	16.2
	灌溉		0.046	0.043	0.045	1.8	1.8	1.8
	合计		0.455	0.426	0.441	18.1	18.1	18.1
总计			2.517	2.359	2.438	100.0	100.0	100.0

注:据冉大川等.黄河中游河口镇至龙门区间水土保持与水沙变化.黄河水利出版社,2000.

从表 6-7 可以看出,70 年代在水利水保措施的总减沙中,水保措施占 65%,水利措施占 35%;80 年代,水保措施占 76%,水利措施占 24%。总体来看,水保措施大致占总减沙的 70%,水利措施大致占 30%。 在水保措施中,坡面措施 70 年代占总减沙的 20.6%,80 年代占 37.3%;淤地坝 70 年占总减沙的 44.3%,80 年代占 38.6%。从平均状况来看,坡面措施可占总减沙的近 30%,淤地坝占总减沙的 40%。因此,从整体措施的减沙结构比例中,坡面措施(梯田、林草等)占 30%,淤地坝占 40%,水利工程占 30%。表 6-8 所得河龙区间的计算结果,坡面措施接近 25%,淤地坝 55%,水利措施占 20%。由于这一地区淤地坝较多,因此所占的减沙比例较大。在坡面措施中,减沙作用最小的是种草,仅占总减沙的 2%,其次是梯田措施,大致占 10%,造林措施的减沙作用最大,可占 15%～20%。

第四节　坡面水土保持措施减沙作用的评价

目前,人们对坡面梯田、林草措施减沙作用大小的认识和看法很不一致。大多数计算结果表明,梯田和林草措施的减沙作用仅占总减沙量的 30% 左右;也有的认为,从 20 世纪 70 年代以来,水利水保措施减少入黄泥沙量年均 3 亿 t,水库、淤地坝的作用占到 90%,梯田、林草等措施仅占 10%[34]。

单项试验研究表明,梯田和林草措施的防蚀减沙作用可分别达到 80%～90% 和 50%～70%;经过以梯田和林草措施为主的综合治理的小流域,减沙作用也达到了 70% 左右,有的甚至达到了 90%;但对于大的流域和黄土高原整个区域来说,梯田和林草措施的作用就显得比较小。其主要原因是:

(1)一些综合治理的小流域对梯田和林草措施的减沙作用评价过高。一是有些小流域的治理度虽然认为达到了 90%,甚至 100%,但是,措施的质量和标准较低,并不可能起到显著的防蚀减沙作用。在我们对一些小流域的调查中,一类梯田和盖度 70% 以上的林草地并不多。二是在减沙效益计算方法上,忽视了降雨作用的影响,不是在同一降雨条件下进行对比分析,而是按实际泥沙量的变化而得出结论,特别是 70 年代以后,一些地区降雨量和暴雨发生频率有较大幅度的减少,如果不排除降雨变化的影响作用,仅按实测泥沙的变化来评价水土保持的作用,势必使减沙作用明显偏大。

(2)对于黄土高原整体来说,普遍认为梯田和林草措施的减沙作用可占总减沙的 30% 左右,按总减沙 3 亿 t 计算,年均可减沙 1 亿 t。这与目前已经达到 40% 的治理度的统计结果显然差异较大。产生这一现象的主要原因:一是 1 亿 t 是一个年平均概念(70 年代以后),不可能与现在的治理度相对应来进行分析;二是现有统计的治理度仅体现在治理面积的数量上,而梯田、林草措施的质量远未达到相应治理度所达到的标准要求。冉大川等在二期水沙基金研究中,对河龙区间梯田、林草措施的面积和质量进行了大量的调查统计核实。根据 1989 年河龙区间各县土地详查资料,梯田平均保存率为 70.9%,林地 53%,草地为 24.2%。梯田的有埂率仅有 20%～40%,70～80 年代修筑的梯田,田坎的破坏率明显上升,一类梯田仅占 38%,二类梯田占 26%,拦洪拦沙能力较差的三类梯田占了近 40%。有整地工程措施、覆盖度在 60% 以上的林地仅占 26%，无整地工程措施、覆盖度在 40% 以下的占 25%。草地的覆盖度大多低于 50%，盖度在 70% 以上的一类草地只占了 17%。由于造林种草措施大都是不连续的片状分布，郁闭度较低，而且整地工程不到位，很难产生明显的水土保持减沙效益。

(3)如果黄河中游梯田和林草措施的减沙作用年均按 1 亿 t 计算（占总减沙量 3 亿 t 的 30%），按照我们建立的治理度与减沙效益预测模型，相对应的治理度为 15% 左右，这里是按一类梯田、林地盖度 70% 和草地盖度 80% 的治理标准来计算的。按这一标准计算，估计目前黄土高原的实际有效治理度为 20%～30%。

由于几十年的造林种草并未显示出理想的减沙作用，因此，人们对黄土高原治理的方略和措施产生了怀疑。有人建议，在基本农田建设方面，不宜再修筑梯田，大力建造淤地坝[35]。有人认为，抬高沟道侵蚀基准面是黄土高原治理的根本途径，在这一地区修筑淤地坝，在坝区淤积逐渐增加和坝体逐渐加高过程中，抬高了沟道侵蚀基准面，使沟坡相对高度和坡度逐渐减少，当坝地面积和控制流域面积的比例足够大，沟坡相对高度和坡度达到某一值后，重力侵蚀和沟蚀量变得很小，一定频率的洪水及其挟带的泥沙平铺在坝地上，可以被坝地控制利用。我们认为，水土流失的治理必须是综合的，而且要贯彻沟坡兼治、因地制宜的原则，对于减少水土流失和黄河泥沙来说，坡面和沟道措施的作用是各有所长、相互补充、彼此不能代替的，而且对于一个区域来说，生态环境的恢复和水土流失的减少，必须考虑区域措施的整体功能和优化配置。作为林草措施，一定要根据雨水资源条件，科学地划分适宜栽种的区域范围，大幅度地提高成活率和保存率，使林草措施真正起到水土保持的作用。

参 考 文 献

1 孟庆枚.黄土高原水土保持.郑州:黄河水利出版社,1996

2 蒋定生等.黄土高原坡耕地水土保持措施效益评价试验研究.水土保持学报,1990,4(2):1～9

3 蒋定生等.黄土高原水土流失与治理模式.北京:中国水利水电出版社,1997

4 高荣乐.黄河流域水土保持梯田建设.中国水土保持,1996(10):30～32

5 郝建忠.黄丘一区水土保持单项措施及综合治理减水减沙效益研究.中国水土保持,1993(3):26～31

6 蒋定生等.黄土高原丘陵区水土流失规律与水土保持措施优化配置研究.水土保持学报,1992,6(3):14～17

7 侯喜禄,梁一民,曹清玉.黄土丘陵区主要水保林类型及草地水保效益的研究.中国科学院、水利部西北水土保持研究所集刊,1991(14):96～103

8 曾伯庆等.人工草地植被对产流产沙影响的研究.见:晋西黄土高原土壤侵蚀规律实验研究文集.北京:水利电力出版社,1990

9 卢宗凡等.中国黄土高原生态农业.西安:陕西科学技术出版社,1997

10 陈同善等.无定河流域淤地坝调查.中国水土保持,1984(3):26～30

11 郑新民.黄河中游地区中小河流坝库群的整体效益.人民黄河,1988(6):43～46

12 方学敏等.黄河中游淤地坝拦沙机理与作用.水利学报,1998(10):49～52

13 李锐等.黄土高原水土流失区农业综合发展研究进展.水土保持研究,2000,7(1):1～3,23

14 何宝林等.陇中黄土丘陵沟壑区小流域综合治理模式及其效益.水土保持研究,2000,7(1):15~18,83

15 吴发启等.泥河沟流域开发治理与成效.水土保持研究,2000,7(1):30~32

16 李锐.黄土高原综合治理科技攻关启示.中国科学院院刊,1998(3)

17 刘文兆等.退耕还林还草,由点到面推进水土保持型生态农业建设.农业,2000(7):51~53

18 刘万铨.水土保持在黄河流域治理开发中的战略地位.中国水土保持,1996(10):18~21

19 喻权刚.黄河流域四大重点治理片的水土保持成就与经验.中国水土保持,1996(10):22~25

20 崔凌峰.榆林地区无定河流域一期重点治理的成就与经验.中国水土保持,1995(5):8~12

21 侯福昌等.黄甫川流域十年治理大见成效.中国水土保持,1994(1):7~9,22

22 吕梁地区三川河流域治理指挥部.三川河流域重点治理的成效和做法.中国水土保持,1993(6):13~16,40

23 陈永宗.黄河泥沙来源及侵蚀产沙的时间变化.中国水土保持,1988(1):23~29

24 朱同新.70年代以来黄河中上游地区人类活动及降雨因素对减少入黄泥沙的作用.见:水土保持科学理论与实践.林业出版社,1990:219~224

25 赵业安.80年代黄河水沙基本情况和特点.人民黄河,1992(4):11~20

26 王云璋.80年代黄河中游降雨特点及其对入黄沙量的影响.人民黄河,1992(5):10~14

27 董雪娜.黄河中游水利和水土保持工程的减沙效益研究.水土保持学报,1992(2):29~34

28 时明立.黄河河龙区间水沙变化的水文分析.中国水土保持.1993(4):15~18

29 熊贵枢.黄河1919~1989年的水沙变化.人民黄河,1992(6):9~13

30 张胜利.80年代黄河中游来沙量减少的原因分析.人民黄河,1992(5):15~18

31 冉大川等.黄河中游河口镇至龙门区间水土保持与水沙变化.郑州:黄河水利出版社,2000

32 王万忠等.黄土高原降雨侵蚀产沙与黄河输沙.北京:科学出版社,1996

33 解决水土流失问题不能单靠植树种草.科学时报,2000年4月

34 李国英.关于黄河长治久安的思考.光明日报,2001年8月7日

35 沈珠江.关于黄土高原可持续发展的构想.科学新闻周刊,2001(28):5

第七章 总 结

一、黄土高原侵蚀产沙区域特征

采用"水文—地貌法",即水文站实测值与侵蚀形态类型相结合的方法,将黄土高原(主要包括黄河中游河口镇至龙门区间的各个支流,泾、洛、渭、汾流域以及上游的祖厉河、清水河流域,面积共 310 104km²)划分为 120 个水文控制区、292 个侵蚀产沙单元。按照治理前(1955~1969 年)、治理后(1970~1989 年)和平均状态(1955~1989 年)3 个不同阶段,计算了各单元的侵蚀产沙强度。在此基础上,对黄土高原侵蚀产沙的时空分异特征进行了系统分析。取得以下结果:

(一)黄土高原侵蚀产沙的区域分异特征(1955~1989 年的平均统计结果)

(1)黄土高原侵蚀产沙的空间集中度非常高,10% 的面积集中了 36% 的产沙量,20% 的面积集中了 60% 的产沙量,50% 的面积集中了 92% 的产沙量。

(2)黄土高原侵蚀强度 $>5~000t/(km^2 \cdot a)$ 的面积 13.27 万 km²,占全区总面积的 42.8%,但其产沙量却占到全区总产沙量的 84.6%。其中侵蚀强度 $>10~000t/(km^2 \cdot a)$ 极强烈以上的侵蚀面积为 5.7 万 km²,占全区总面积的 18.4%,其产沙量占到全区总产沙量的 48.9%。

(3)黄土高原侵蚀产沙主要来自河龙区间(占总产沙量的 55%)和泾、洛、渭河上游地区(占总产沙量的 35%),其中以黄土峁状丘陵沟壑区和干旱黄土丘陵沟壑区的侵蚀产沙最为严重(分别占总产沙量的 27.4% 和 23.1%)。

(4)以侵蚀强度 $>10~000t/(km^2 \cdot a)$ 作为标准,将黄土高原划分为 7 个产沙中心,面积为 48 028.5km²,仅占全区总面积的 15.5%,但其产沙量却占到全区总产沙量的 42.2%。7 个产沙中心面积最大的是第一中心,即黄甫川、孤山川、清水川及窟野河、黄河干流河曲以上的部分地区,面积为 13 707.6km²;最小的是第七中心,即渭河南河川至甘谷、秦安和武山区间,面积为 1 495.5km²。侵蚀强度最大的是第二中心,即窟野河、秃尾河下游和佳芦河的大部分地区,平均为 21 473.6t/(km² · a),核心区可达 34 447.3t/(km² · a);最小的是第七中心,即渭河南河川至甘谷、秦安和武山区间,侵蚀强度为 10 776.5 t/(km² · a)。

(二)治理前后侵蚀产沙强度的区域变化特征

(1)根据 1955~1969 年和 1970~1989 年的分段统计结果,70 年代以后,由于降雨因素和水土保持作用的影响,黄土高原的侵蚀产沙特征发生了显著变化,主要表现在:侵蚀产沙量年均减少了 37.7%,由未治理前的 19.5 亿 t 减少到 12.2 亿 t;全区平均侵蚀模数由未治理前的 6 302.1t/(km² · a)减少到 3 928.4t/(km² · a);侵蚀模数 $>5~000t/(km^2 \cdot a)$ 的面积减少了 28.8%,由未治理前的 14.7 万 km² 减少到 10.5 万 km²,侵蚀模数 $>10~000t/(km^2 \cdot a)$ 的面积减少了 71.8%,由未治理前的 8.7 万 km² 减少到 2.5 万 km²。

(2)治理前,侵蚀强度>10 000t/(km²·a)的区域集中分布在河口镇至龙门区间黄河干流两岸的大部分地区、北洛河上游地区、泾河中上游的部分地区以及渭河葫芦河和散渡河流域的大部分地区。治理后,侵蚀强度>10 000t/(km²·a)的地区仅零散地分布在黄甫川流域,靠近黄河两岸的窟野河、佳芦河、无定河、湫水河下游地区,以及北洛河、泾河的河源地区。

(3)由于治理后,河龙区间和泾、渭河上游地区侵蚀强度>10 000t/(km²·a)的区域面积大幅度减少,上述大部分地区变成了 5 000~10 000t/(km²·a)的侵蚀区。侵蚀强度<5 000t/(km²·a)的面积分布变化不大。

(4)治理后,减沙幅度最大的区域主要分布在以无定河为中心的极强烈侵蚀区和汾河流域的大部分地区(减幅在 50%以上),其次是延河流域的附近地区(减幅在 30%~50%之间),其他区域减幅程度不很明显。

二、重点治理区划分及水土保持措施配置

黄土高原主要产沙区(侵蚀模数>5 000t/(km²·a))的面积共 14.9 万 km²,按照流域位置和侵蚀类型,将其划分为 10 个不同类型的治理区。在对各治理区侵蚀环境和社会经济特征分析的基础上,按照土地利用、耕地坡度组成和植被的地带性,结合治理进度,进行了水土保持措施的组合配置。

(一)不同治理区的划分

划分的 10 个不同类型治理区分别为:窟野河、黄甫川上游风沙草原区;河曲至头道拐黄土平岗丘陵沟壑区;河曲至吴堡黄土峁状丘陵沟壑区;清涧河、无定河和三川河中下游黄土峁状丘陵沟壑区;延河、昕水河、汾川河黄土梁状丘陵沟壑区;西北部风沙黄土丘陵沟壑区;泾河、北洛河上游干旱黄土丘陵沟壑区;泾河中下游黄土高塬沟壑区;祖厉河、清水河上游黄土高塬沟壑区;渭河上游黄土高塬沟壑区。

(二)各治理区水土保持措施的配置原则

(1)梯田措施主要配置在 3°~15°的坡地上;林草措施主要配置在坡度>15°的坡地上。不同植被带林草措施的配置比例为:森林带为 8:2;森林草原带为 5:5;草原带为2:8。

(2)各治理区应治理面积的确定是以各治理区的总土地面积减去居民工矿用地面积、交通用地面积、水域面积、裸岩石砾地面积和坡度<3°的耕地面积。

(3)治理度的计算是以梯田为"标准面积单位",将不同降雨条件下不同盖度林地和草地的减沙效益进行标准化处理,折算成"标准面积"的换算系数。治理度的计算公式为:

$$C = (T + F \times \xi_1 + G \times \xi_2)/A \times 100\%$$

式中:C 为治理度;T 为梯田的面积;F 为林地的面积;G 为草地的面积;A 为应治理面积;ξ_1 为林地"标准面积"的折算系数;ξ_2 为草地"标准面积"的折算系数。

(4)根据不同治理进度(治理度)对梯田、林地和草地面积的配置进行随机组合。

三、水土保持单项措施的减沙效益指标

根据有关试验观测资料,对不同降雨条件和不同质量的水平梯田、林草措施和淤地坝的减沙效益进行了统计分析,建立了不同措施减沙效益的评价方法和指标。主要结果为:

(一)水平梯田效益

高标准的水平梯田基本可以防御 10 年一遇的暴雨,当次降雨的侵蚀力(PI_{30})<
$50\text{mm}^2/\text{min}$ 时,水平梯田完全可以做到全部降雨拦蓄,减沙效益均为 100%;当 PI_{30}>
$50\text{mm}^2/\text{min}$ 时,减沙效益($S(\%)$)与 PI_{30} 的关系如下:

$$S(\%) = -0.5848(PI_{30}) + 130.07 \qquad (r = 0.993^{**})$$

(二)林草措施效益

林地、草地的减沙效益($S(\%)$)与次降雨侵蚀力(PI_{30})、汛期雨量($P_汛$)、盖度(v)的
关系如下:

次降雨条件下

   林地:$S(\%) = 223.923 - 3\,103.189(1/v) - 30.985 \lg(PI_{30} \cdot v)$

   草地:$S(\%) = -108.520 + 46.194 \lg(v/PI_{30}) + 84.813 \lg(v)$

年降雨条件下

   林地:$S(\%) = -56.523 + 116.520 \lg(v) - 30.864 \lg(P_汛)$

   草地:$S(\%) = -26.902 + 105.368 \lg(v) - 34.194 \lg(P_汛)$

(三)淤地坝效益

(1)单坝的减沙效益。根据对大理河、佳芦河、秃尾河、窟野河及黄甫川等五条支流
4 877座淤地坝的调查资料的分析,五支流的平均减沙效益34.4%。其中坝高为 5~10m、
10~15m、15~20m、20~25m、25~30m 的淤地坝减沙效益分别为 13.5%、27.9%、
38.3%、42.0%、48.4%。

(2)坝系的减沙效益。对黄甫川、窟野河、秃尾河、佳芦河和大理河等五支流及其水文
站控制区间、小流域坝系自建坝至 1992 年的减沙效益的分析表明,五支流中,大理河的效
益最大,减沙效益为 18.4%,在青阳岔至绥德区间高达 21.5%。窟野河最小,减沙效益为
2.1%。黄甫川、秃尾河、佳芦河的减沙效益比较接近,黄甫川以十里长川流域效益最高,
为 11.6%;秃尾河的开荒川的效益很高,为 21.5%。坝系的减沙效益与坝地面积占流域
面积的比例之间的关系密切,其大小随着坝地面积比例的增加而增加,呈直线关系。

(3)单坝的拦沙指标。黄甫川、窟野河、秃尾河、佳芦河和大理河等五支流分别平均为
453.4 万 t/km²、499.9 万 t/km²、551.6 万 t/km²、470.6 万 t/km²、556.4 万 t/km²,五支流
的平均结果为 506.4 万 t/km²。坝高为 <5m、5~10m、10~15m、15~20m、20~25m、
25~30m、≥30m 的拦沙指标分别平均为 143.2 万 t/km²、255.5 万 t/km²、416.7 万
t/km²、569.9 万 t/km²、711.1 万 t/km²、844.4 万 t/km²、1 140.3 万 t/km²。

(4)坝系的拦沙指标。五支流内平均单位坝地的拦沙量为 656.0 万 t/km²,减沙量为
2.53 万 t/km²,平均总减沙量为 658.5 万 t/km²。

(5)大暴雨情况下,对于单坝来说,个别毁坝增沙严重;但对整个坝系(流域)来说,泥
沙未出坝系,有时还会淤出新的坝地,整个坝系在特大暴雨中仍具有很大的拦沙作用。在
计算流域或区域淤地坝的效益时,用坝系效益或坝系中单位坝地的减沙效益指标是较为
合理的。

四、水土保持治理减沙效益预测

按照各治理区水土保持措施的配置组合方案和单项水土保持措施的减沙效益指标,

分别对黄土高原重点治理区(主要产沙区)不同水文年型与不同治理度下的减沙效益、土壤流失程度,以及未来的黄河输沙量进行了预测。

(一)重点治理区的减沙效益预测

(1)当治理度达到50%时,平水年($P=50\%$)坡面梯田和林草措施的减沙效益为30.5%,其土壤流失量可由10.4亿t减少到7.2亿t;枯水年($P=80\%$)坡面梯田和林草措施的减沙效益为31.1%,其土壤流失量可由6.5亿t减少到4.5亿t;丰水年($P=20\%$)坡面梯田和林草措施的减沙效益为29.3%,其土壤流失量可由20.6亿t减少到14.6亿t。

(2)当治理度为80%时,平水年($P=50\%$)坡面梯田和林草措施的减沙效益为48.7%,其土壤流失量可由10.4亿t减少到5.3亿t;枯水年($P=80\%$)坡面梯田和林草措施的减沙效益为49.7%,其土壤流失量可由6.5亿t减少到3.3亿t;丰水年($P=20\%$)坡面梯田和林草措施的减沙效益为46.8%,其土壤流失量可由20.6亿t减少到11.0亿t。

(3)在完全治理的情况下(治理度为100%),平水年($P=50\%$)坡面梯田和林草措施的减沙效益为60.9%,其土壤流失量可由10.4亿t减少到4.1亿t;枯水年($P=80\%$)坡面梯田和林草措施的减沙效益为62.2%,其土壤流失量可由6.5亿t减少到2.5亿t;丰水年($P=20\%$)坡面梯田和林草措施的减沙效益为58.5%,其土壤流失量可由20.6亿t减少到8.5亿t。

(二)不同治理程度下未来黄河泥沙量预测

1955~1969年重点治理区的年平均产沙量为15.2亿t,同期黄河的输沙量(河、龙、华、洑)为17.8亿t,重点治理区的产沙量占黄河输沙量的85.4%。根据重点治理区与黄河总输沙量的比例关系,计算相应情况下不同水文年份与不同治理度下的黄河输沙量如下:

(1)当治理度达到50%时,在平水年份,黄河输沙量可由治理前(1955~1969年平均值,下同)的12.2亿t减少到8.5亿t,减沙3.7亿t;在枯水年份可由7.6亿t减少到5.2亿t,减沙2.4亿t;在丰水年份可由24.1亿t减少到17.1亿t,减沙7.1亿t。在平均状态下,若减沙效益按30%计算,黄河输沙量可由治理前的17.8亿t减少到12.5亿t,减沙5.3亿t。

(2)当治理度达到80%时,在平水年份,黄河输沙量可由治理前(1955~1969年平均值,下同)的12.2亿t减少到6.2亿t,减沙5.9亿t;在枯水年份可由7.6亿t减少到3.8亿t,减沙3.8亿t;在丰水年份可由24.1亿t减少到12.8亿t,减沙11.3亿t;在平均状态下,若减沙效益按48%计算,黄河输沙量可由治理前的17.8亿t减少到9.3亿t,减沙8.5亿t。

(3)在完全治理的情况下(治理度为100%),黄河输沙量在平水年份可由治理前(1955~1969年平均值,下同)的12.2亿t减少到4.8亿t,减沙7.4亿t;在枯水年份可由7.6亿t减少到2.9亿t,减沙4.7亿t;在丰水年份可由24.1亿t减少到10.0亿t,减沙14.1亿t;在平均状态下,若减沙效益按60%计算,黄河输沙量可由治理前17.8亿t减少到7.1亿t,减沙10.7亿t。

(4)按照 1919～1969 年黄河年均输沙量 16 亿 t 计算,在完全治理的情况下,黄河输沙量可减少到 6.4 亿 t 左右。

五、水土保持减沙效益研究成果评价

在对已有水土保持减沙效益研究成果对比分析的基础上,对坡面梯田和林草措施的防蚀减沙作用进行了评价。

(1)大多小区试验结果表明,梯田和林草措施的防蚀减沙作用可分别达到 80%～90% 和 50%～70%;经过以梯田和林草措施为主的综合治理的小流域,减沙作用也达到了 70% 左右,有的甚至达到了 90%;但对于大的流域和黄土高原整个区域来说,梯田和林草措施的作用仅占总减沙的 30%。主要原因一是措施的质量和标准较低,起不到显著的防蚀减沙作用。据调查,在河龙区间一类梯田仅占 38%,覆盖度在 60% 的林地仅占 26%,盖度在 70% 以上的一类草地只占了 17%,而且造林种草面积大都是不连续的片状分布,覆盖度较低,加之整地工程不到位,很难产生明显的水土保持减沙效益。二是在减沙效益计算方法上,忽视了降雨作用的影响,不是在同一降雨条件下进行对比分析,而是按实际泥沙量的变化而得出结论,特别是 70 年代以后,一些地区降雨量和暴雨发生频率有较大幅度的减少,如果不排除降雨变化的影响作用,仅按实测泥沙的变化来评价水土保持的作用,势必使减沙作用明显偏大。

(2)如果黄河中游梯田和林草措施的减沙作用年均按 1 亿 t 计算(占总减沙量 3 亿 t 的 30%),按照我们建立的治理度与减沙效益预测模型,相对应的治理度为 15% 左右,这里是按一类梯田、林地盖度 70% 和草地盖度 80% 的治理标准来计算的。按这一标准计算,估计目前黄土高原的实际有效治理度为 20% 左右。

Conclusion

1 The study area includes the tributaries between Hekouzhen and Longmen area, Jing river, Luo river, Wei river and Fen river in the middle reaches of Yellow River, Zuli river and Qingshui river in the upper reaches of Yellow River, the area is 310 104 km². Based on the distribution of hydrological stations and it's observation series of sediment information, and the different soil erosion type areas on the loess Plateau, the study area was divided into 292 soil erosion units. The erosion sediment yield of 292 units are calculated in 3 stages: before control (1955～1969), after control (1970～1989) and average status (1955～1989), and the temporal and spatial variation of sediment yield on the loess plateau were analyzed systematically. The results showed as follows:

1.1 Regional variation features of soil erosion sediment on the loess plateau (based on the average status)

1.1.1 The erosive sediment yield was highly spatially concentrated on the loess plateau, and 10% of area supplied 36% of sediment yield, 20% of area supplied 60% of sediment yield, 50% of area supplied 92% of sediment yield.

1.1.2 The erosive area with erosive modulus $>5\ 000t/(km^2 \cdot a)$ was $13.27 \times 10^4\ km^2$, made up 42.8% of the total sediment yielding area, and the sediment from it amounted to 84.6% of the total amount of erosive sediment yield. And the mighty violence erosive area with erosive modulus $>10\ 000t/(km^2 \cdot a)$ was $5.7 \times 10^4\ km^2$, the area of it only made up 18.4% of the total sediment yielding area, but the sediment from it amounted to 48.9% of the total amount of erosive sediment yield.

1.1.3 The sediment yield of the loess plateau were mainly come from Hekouzhen-Longmen area (55%) and the upper reaches of Jing river, Luo river and Wei river (35%). The soil erosive sediment yield in loess 'Mao' hilly and gully region and arid loess hilly and gully region were the most serious, and the sediment yield made up 27.4% and 23.1% of the total sediment yield respectively.

1.1.4 Taking sediment yielding intensity $>10\ 000t/(km^2 \cdot a)$ as a criterion, and based on the average sediment results over the interval 1955～1989, it can be marked off 7 sediment yield centers on the loess plateau. The area of the 7 centers made up 15.5% of the total sediment yielding area, however, the sediment yield amounted to 42.2% of the total amount of erosive sediment yield. In the 7 sediment yield centers, the center with maximum area was in the Huangpuchuan, Gushanchuan, Qingshuichuan, Kuye river and part area above Hequ in the main stream of Yellow River, the area of it was 13 707.6 km²; and the center with minimum area was between Nanhechuan and Gangu, Qin'an, Wushan in Wei river, the area was 1 495.5km². The center with maximum sediment yielding intensity was in the lower reaches of Kuye river and Tuwei river, and the most part of Jialu river, the average erosion intensity was 21 473.6 t/(km^2·a), in the maximum area arrived to 34 447.3 t/(km^2·a); and the center with minimum sediment yielding intensity was also between Nanhechuan and Gangu, Qin'an, Wushan in Wei river, the average erosion intensity was 10 776.5 t/(km^2·a).

1.2 Regional variation features of soil erosion intensity before and after control

1.2.1 Based on the statistical results over the interval 1955~1969 and 1970~1989, the sediment yielding features had changed evidently since 1970 because of rainfall variation and actualizing of soil and water conservation measures. The sediment yield had reduced 37.7%, from 19.5 × 10^8 t to 12.2 × 10^8 t, the average erosive modulus reduced from 6 302.1 t/(km^2·a) to 3 928.4 t/(km^2·a). The erosive area with erosive modulus >5 000 t/(km^2·a) had reduced 28.8%, from 14.7 × 10^4 km^2 to 10.5 × 10^4 km^2; and the erosive area with erosive modulus >10 000t/(km^2·a) had reduced 71.8%, from 8.7 × 10^4 km^2 to 2.5 × 10^4 km^2.

1.2.2 Before soil and water conservation (1955~1969), the regions with erosive modulus >10 000t/(km^2·a) were distributed in the majority of the mainstream reaches of Yellow River between Hekouzhen and Longmen area, the upper reaches of Beiluo river, the most part of upper and middle reaches of Jing river, and the majority area of Hulu river and Sandu river in Wei river basin. After soil and water conservation (1970~1989), the regions with erosive modulus > 10 000t/ (km^2·a) were scattered in Huangpuchuan river, the lower reaches of Kuye river, Jialu river, Wuding river and Qiushui river near to the mainstream reaches of Yellow River, and the riverhead of Beiluo river and Jing river.

1.2.3 After control, the area with erosive modulus >10 000t/(km^2·a) in Hekouzhen-Longmen area, the upper reaches of Jing river and Wei river decreased on a large scale, and reduced to 5 000~10 000 t/(km^2·a); and the area with erosive modulus <5 000 t/(km^2·a) has changed not too much.

1.2.4 After soil and water conservation, the regions where the sediment yield reduced evidently are mainly distributed in the mighty violence erosive area in the around of Wuding river and the majority of Fen river, the reductive degree was above 50%. The reductive degree was 30%~50% in the vicinity of Yan river, was not marked in other regions.

2 The main erosive sediment yielding area on the loess plateau was 14.9 × 10^4 km^2, it was divided into 10 different type control areas according to the position of drainage basins and soil erosion types. Based on the analysis of soil erosion environment and social economic features, soil and water conservation measures are collocated according to the land utilization, field gradient, vegetation zone and control plan.

2.1 Division of control area

Based on the erosion intensity of 292 units over the interval 1955~1969, the regions which erosive modulus ≥5 000t/(km^2·a) are regarded as emphases control region. And the area of the emphases control region was 14.9×10^4 km^2. Then, taking the soil erosion type as the main factor, and taking the vegetation-climate belt and integrality of region into account, the emphases control region was divided into 10 control areas. They are ①wind and sand steppe region in the upper reaches of Kuye river and Huangpuchuan river, ②loess flat hillock hilly and gully region between Hequ and Toudaoguai area, ③loess "Mao" hilly and gully region between Hequ and Wubu area, ④loess "Mao" hilly and gully region in the lower reaches of Qingjian river, Wuding river and Sanchuan river, ⑤loess "Liang" hilly and gully region in Yan river, Xinshui river and Fenchuan river, ⑥wind and sand loess hilly and gully region in the northwestern part of the emphases control area, ⑦arid loess hilly and gully region in the upper reaches of Jing river and Beiluo river, ⑧loess plateau and gully region in the middle and lower reaches of Jing river, ⑨loess plateau and gully region in the upper reaches of Zuli river and Qingshui river, and ⑩loess plateau and gully region in the upper reaches of Wei river.

2.2 The collocation principles of soil and water conservation measures

2.2.1 Level terraces are mainly collocated on the $3° \sim 15°$ slopes, woodland and grassland are collocated on the $>15°$ slopes, and the ratio of woodland to grassland is 8:2 in the forest belt, 5:5 in the forest steppe belt, and 2:8 in the steppe belt.

2.2.2 The controllable area of the control regions is the total land area minus residential area, industrial estate, mining area, transportation area, water area, bare rock and gravel area and $<3°$ arable land.

2.2.3 The formula for calculating control degree is as follows:
$$C = (T + F \times \xi_1 + G \times \xi_2)/A \times 100\%$$
In the formula above: C is the control degree (%); T is the area of terrace; F is the area of woodland; G is the area of grassland; A is the controllable area; ξ_1 is the coefficient for converting the area of woodland to criterion area (terrace area), it is the ratio of the sediment reducing benefit of woodland to that of terrace in the same rainfall conditions; ξ_2 the coefficient for converting the area of grassland to criterion area, it is the ratio of the sediment reducing benefit of woodland to that of terrace in the same rainfall conditions.

2.2.4 The area of level terrace, woodland and grassland are collocated stochastically according to the different control plans.

3 Based on the observation data, the sediment reducing benefit of level terrace, wood and grass measure and wrapping dam under different rainfall and quality conditions are analyzed, and the evaluation method and index of sediment reducing benefit of different measures are also established. The main results are as follows:

3.1 The sediment reducing benefit of level terraces

The sediment reducing benefit of high quality level terrace can reach 100% under 10% frequency rainfall conditions. When the individual rainfall erosivity (PI_{30}) <50 mm^2/min, the rainfall can be stored up completely, and the sediment reducing benefit would be 100%;

When $PI_{30} > 50$ mm²/min, the relationship of sediment reducing benefit and PI_{30} would be as follows:

$$S(\%) = -0.584\ 8(PI_{30}) + 130.07$$

In the equations above: $S(\%)$ is the sediment reducing benefit of level terrace(%); PI_{30} is the rainfall index, i.e. the product of rainfall amount minus maximum 30 min rainfall intensity in an individual rain($4.4 \sim 100$ mm²/min).

3.2 The sediment reducing benefit of wood and grass measures

The relationships between sediment reducing benefit of woodland and grassland and rainfall, coverage are as follows:

In the individual rainfall conditions:

Woodland: $S(\%) = 223.923 - 3\ 103.189(1/v) - 30.985\lg(PI_{30} \cdot v)$

Grassland: $S(\%) = -108.520 + 46.194\lg(v/PI_{30}) + 84.813\ \lg(v)$

In the annual rainfall conditions:

Woodland: $S(\%) = -56.523 + 116.520\lg(v) - 30.864\lg(P_{5-9})$

Grassland: $S(\%) = -26.902 + 105.368\lg(v) - 34.194\lg(P_{5-9})$

In the equations above: $S(\%)$ is the sediment reducing benefit of woodland or grassland(%); v is the coverage of woodland or grassland($0 \sim 100$); PI_{30} is the rainfall index, i.e. the product of rainfall amount minus maximum 30 min rainfall intensity in an individual rain ($3.20 \sim 100$ mm²/min); P_{5-9} is the rainfall amount from May to Sept. ($100 \sim 700$mm).

3.3 The sediment reducing benefit of wrapping dams

3.3.1 The sediment benefit of individual dam. On the basis of investigation data of 4 877 wrapping dam in the Huangpuchuan river, Kuye river, Jialu river, Tuwei river and Dali river, the average sediment reducing benefit of wrapping dams was 34.4%. The sediment reducing benefit of wrapping dams with dam height $5 \sim 10$m, $10 \sim 15$m, $15 \sim 20$m, $20 \sim 25$m and $25 \sim 30$m was 13.5%, 27.9%, 38.3%, 42.0% and 48.4% respectively.

3.3.2 The sediment benefit of dam system. The sediment benefit of dam systems in Huangpuchuan river, Kuye river, Jialu river, Tuwei river, Dali river, the hydrological control areas and small watersheds in the 5 rivers were analyzed in the period from the time dam built to 1992. The results showed that the maximum sediment reducing benefit was in Dali river, it was 18.4%, in the area between Qingyangcha to Suide, the benefit reached 21.5%; the minimum sediment reducing benefit was in Kuye river, it was 2.1%. The benefits in Huangpuchuan river, Tuwei river and Jialu river were close. The benefit in Shilichangchuan small watershed in Huangpuchuan was 11.6%, and in Kaihuangchuan small watershed in Tuwei river was 21.5%. The Sediment reducing benefit of dam systems are linear with the proportion of wrapping land in a watershed area, and increase with the proportion increasing.

3.3.3 The sediment storage index of individual dam. The average sediment storage index of Huangpuchuan river, Kuye river, Tuwei river, Jialu river and Dali river was 453.4×10^4

t/km^2, 499.9×10^4 t/km^2, 551.6×10^4 t/km^2, 470.6×10^4 t/km^2 and 556.4×10^4 t/km^2 respectively, the average value of the 5 rivers was 506.4×10^4 t/km^2. The average sediment storage index of dam system with dam height $<5m, 5\sim10m$, $10\sim15m$, $15\sim20m$, $20\sim25m$, $25\sim30m$ and $>30m$ was 143.2×10^4 t/km^2, 255.5×10^4 t/km^2, 416.7×10^4 t/km^2, 569.9×10^4 t/km^2, 711.1×10^4 t/km^2, 844.4×10^4 t/km^2 and $1\ 140.3 \times 10^4$ t/km^2 respectively.

3.3.4 The sediment storage index of dam system. The average sediment barraging amount per wrapping field area was 656.0×10^4 t/km^2, sediment reducing amount was 2.53×10^4 t/km^2, and the total sediment reducing amount was 658.6×10^4 t/km^2 in the 5 rivers.

3.3.5 In the big rainstorm conditions, several dams were destroyed seriously and resulted in severe sediment increasing, but in the whole dam system, sediment were not carried out of dam system, sometimes new field were wrapped, and the whole dam system have a big effect in sediment barraging in big rainstorms. Therefore, it is rational to use sediment reducing benefit index of dam system for calculating the watershed/regional benefit.

4 The benefits of soil and water conservation, sediment reducing amount and soil erosion modulus of the 10 regions, the emphases control area and Yellow River in the different rainfall conditions and control degrees are predicted according to the collocation and sediment reducing benefit index of soil and water conservation measures.

4.1 The prediction of soil loss in the emphases control area

4.1.1 When control degree would reach 50%, the sediment reducing benefit of terrace, woodland and grassland would be 30.5%, and soil loss amount would reduced from $10.4 \times 10^8 t$ to $7.2 \times 10^8 t$ in average year ($P = 50\%$); the sediment reducing benefit of terrace, woodland and grassland would be 31.1%, and soil loss amount would reduced from $6.5 \times 10^8 t$ to $4.5 \times 10^8 t$ in low-flow year ($P = 80\%$); and the sediment reducing benefit of terrace, woodland and grassland would be 29.3%, soil loss amount would reduced from $20.6 \times 10^8 t$ to $14.6 \times 10^8 t$ in high and water year ($P = 20\%$).

4.1.2 When control degree would reach 80%, the sediment reducing benefit of terrace, woodland and grassland would be 48.7%, and soil loss amount would reduced from $10.4 \times 10^8 t$ to $5.3 \times 10^8 t$ in average year ($P = 50\%$); the sediment reducing benefit of terrace, woodland and grassland would be 49.7%, and soil loss amount would reduced from $6.5 \times 10^8 t$ to $3.3 \times 10^8 t$ in low and flow year ($P = 80\%$); and the sediment reducing benefit of terrace, woodland and grassland would be 46.8%, soil loss amount would reduced from $20.6 \times 10^8 t$ to $11.0 \times 10^8 t$ in high and water year ($P = 20\%$).

4.1.3 When all the controllable area would be actualized with soil and water conservation measures, i.e. control degree would reach 100%, the sediment reducing benefit of terrace, woodland and grassland would be 60.9%, and soil loss amount would reduced from $10.4 \times 10^8 t$ to $4.1 \times 10^8 t$ in average year ($P = 50\%$); the sediment reducing benefit of terrace, woodland and grassland would be 62.2%, and soil loss amount would reduced from $6.5 \times$

10^8t to 2.5×10^8t in low and flow year ($P = 80\%$); and the sediment reducing benefit of terrace, woodland and grassland would be 58.5%, soil loss amount would reduced from 20.6×10^8t to 8.5×10^8t in high and water year ($P = 20\%$).

4.2 The Prediction of sediment amount in Yellow River

The average sediment amount of the emphases control area over the interval 1955~1969 was 15.2×10^8t, and the sediment amount in Yellow River (the sum of sediment amount of Hejin station in Fen river, Longmen station in mainstream of Yellow River, Huaxian station in Wei river and Zhuangtou station in Beiluo river) was 17.8×10^8t in the same series, the sediment yield of the emphases control area come up to 85.4% of the sediment yield in the Yellow River. According to the sediment yield proportion relationship between the emphases control area and Yellow River, the calculated sediment yield in Yellow River under different rainfalls and control degrees were as following:

4.2.1 When control degree would arrived at 50%, the sediment yield of Yellow River would decreased from 12.2×10^8t to 8.5×10^8t in average year ($P = 50\%$), decreased from 7.6×10^8t to 5.2×10^8t in low-flow year ($P = 80\%$), and from 24.1×10^8t to 17.1×10^8t in high-water year ($P = 20\%$). In the average conditions, the sediment yield of Yellow River would decreased from 17.8×10^8t to 12.5×10^8t, and the reducing amount would be 5.3×10^8t, when it were calculated as the sediment reducing benefit being 30%.

4.2.2 When control degree would arrived at 80%, the sediment yield of Yellow River would decreased from 12.2×10^8t to 6.2×10^8t in average year ($P = 50\%$), decreased from 7.6×10^8t to 3.8×10^8t in low-flow year ($P = 80\%$), and from 24.1×10^8t to 12.8×10^8t in high-water year ($P = 20\%$). In the average conditions, the sediment yield of Yellow River would decreased from 17.8×10^8t to 9.3×10^8t, and the reducing amount would be 8.5×10^8t, when it were calculated as the sediment reducing benefit being 48%.

4.2.3 When control degree would arrived at 100%, the sediment yield of Yellow River would decreased from 12.2×10^8t to 4.8×10^8t in average year ($P = 50\%$), decreased from 7.6×10^8t to 2.9×10^8t in low-flow year ($P = 80\%$), and from 24.1×10^8t to 10.0×10^8t in high-water year ($P = 20\%$). In the average conditions, the sediment yield of Yellow River would decreased from 17.8×10^8t to 7.1×10^8t, and the reducing amount would be 10.7×10^8t, when it were calculated as the sediment reducing benefit being 60%.

4.2.4 When all the controllable area would be actualized with soil and water conservation measures, i.e. control degree would reach 100%, the sediment yield of Yellow River calculated on the basis of the sediment yield being 16×10^8t over the interval 1919~1969 would decreased to 6.4×10^8t.

5 Based on contrastive analysis on the researched results of sediment reducing benefit of soil and water conservation, the soil erosion preventing and sediment reducing effect was estimated.

5.1 Most testing results in runoff plot showed that the sediment reducing benefit of level terrace, wood and grass measure reached 80% ~ 90% and 50% ~ 70% respectively; the sedi ment reducing benefit of small comprehensive watershed with level terrace, wood and grass as main measures arrived at about 70%, even at 90% in some watershed; but the sediment re- ducing effect of level terrace and wood and grass only accounted for 30% of the total sedi- ment reducing amount in big drainage basin and the whole region of loess plateau. The one reason for this is the low quality and standard of measures having no evident soil erosion pre- venting and sediment reducing effect. According to the investigation in the Hekouzhen and Longmen area, the first and rate level terrace only occupied 38%, the woodland with cove rage 60% only counted for 26%, the first and rate grassland with coverage more than 70% merely occupied 17%; and the area of woodland and grassland were distributed discontinu- ously with no field preparing works. Another reason is that rainfall effect was ignored in the calculation on sediment reducing benefit. The sediment reducing benefit was calculated ac- cording to the actual sediment yield, not calculated in the same rainfall conditions. The rain- fall amount and occurring frequency of rainstorm reduced evidently since 1970s, and the sedi- ment reducing benefit would be on the high side when the effect of rainfall variation was not eliminated.

5.2 The actual effective control degree is about 20% on the loess plateau at present on the basis of the annual sediment reducing amount of level terrace and wood and grass measure was 1×10^8t with first and rate level terrace, 70% coverage woodland and 80% coverage grassland.